WYŚMIENITE SAŁATKI

Z języka niemieckiego przełożyła
Monika Kilis

KDC.pl
KLUB DLA CIEBIE

Tytuł oryginału:
DIE GUTE KÜCHE. KÖSTLICHE SALATE

Redaktor prowadzący:
Renata Duczyńska-Surmacz

Projekt okładki:
Agnieszka Skriabin

Zdjęcia na okładce:
Bohdan M.Ruciński

Redakcja:
Natalia Wiśniewska

Korekta:
Agnieszka Żak

Copyright © 2004 Trautwein Küchen-Edition, Compact Verlag, Monachium, Niemcy
Copyright © for the Polish translation by Bauer-Weltbild Media Sp. z o.o., Sp. K.,
Warszawa 2006

Bauer-Weltbild Media Sp. z o.o., Sp. K.
Klub dla Ciebie
02-103 Warszawa
ul. Hankiewicza 2

www.kdc.pl

ISBN 978-83-7404-378-6

Skład i łamanie:
Laguna

Druk i oprawa:
Toruńskie Zakłady Graficzne Zapolex Sp. z o.o.
87-100 Toruń, ul. Gen. Sowińskiego 2/4

Ilustracje

Okładka: StockFood
Wnętrze: 3 Glocken, Adam, Bonduelle, Californische Mandeln, CMA, Ketchum GmbH, Kikkoman, Knorr, Livio Öl, Maggi Kochstudio, Molkerei Alois Müller, Steinbach PR, Thomy, Unilever Bestfoods Deutschland GmbH, Wirths PR, Zottarella

Spis treści

Sałatki – zdrowy i smaczny składnik naszego codziennego pożywienia

Jeszcze niedawno sałatki były traktowane wyłącznie jako bogaty w witaminy dodatek do dania głównego. Delikatne liście polewano na ogół kwaskowatymi rozwodnionymi sosami, natomiast sałatki ziemniaczane i ogórkowe majonezem.

Na szczęście te czasy dawno minęły, sałatki przestały być nic nie znaczącym dodatkiem i zajęły ważną pozycję w naszym codziennym menu. Mogą być one delikatną przystawką zaostrzającą apetyt, a nawet, odpowiednio skomponowane z innymi składnikami, doskonałym daniem głównym – taki sposób odżywiania znajduje coraz więcej zwolenników.

Istnieje bardzo dużo gatunków sałaty. Dlatego istotne wydaje się wprowadzenie podziału na sałaty liściowe, surówki i sałatki z ugotowanych warzyw.

Rodzaje sałatek

Sałaty liściowe

Batawia: ma zielone lub czerwonawe liście i jest krzyżówką zwykłej zielonej sałaty z sałatą lodową. **Kapusta pekińska:** jest sałatą zimową, która może być przygotowywana jak jarzynka. Kapusta pekińska doskonale smakuje z potrawami kuchni azjatyckiej. **Sałata dębowa:** ma pofałdowane ciemnozielone i czerwonawe liście. Swoją nazwę zawdzięcza podobieństwu do liści dębu. Szczególnie dobrze smakuje w połączeniu z innymi gatunkami sałaty. **Sałata lodowa:** jest wyjątkowo trwała, można ją nawet tydzień przechowywać w lodówce. Główka sałaty lodowej ma jasnozielony kolor. Dzięki ciężkim, ciasno zamkniętym liściom jest ona bardzo krucha. Ma delikatny smak, doskonale smakuje w kombinacji z innymi składnikami sałatki. **Endywia:** ma postrzępione na brzegach, lekko gorzkie w smaku liście, świetnie pasuje do sałatek ziemniaczanych. **Roszponka:** jest sałatą zimową o małych liściach. Wymaga bardzo dokładnego mycia, ponieważ listki często zawierają sporo piasku. Sałatę tę należy przyrządzać możliwie bezpośrednio po kupieniu, jest bowiem bardzo nietrwała. **Sałata fryzyjska:** wewnątrz żółta, zewnętrzne liście pokarbowane w kolorze jasnozielonym. Ma delikatny, lekko gorzkawy smak. Bardzo dobrze smakuje w połączeniu z innymi gatunkami sałat. Z liści na-

Batawia

Kapusta pekińska

Sałata dębowa

Sałata lodowa

Roszponka

Endywia

leży starannie usunąć zgrubienia, ponieważ mają one gorzki smak. Sałata fryzyjska bywa również nazywana endywią kędzierzawą. **Sałata głowiasta:** czyli klasyczna „zielona sałata". Rodzina sałat głowiastych jest bardzo liczna. Zarówno sałata głowiasta, jak i jej odmiany znane są od dawna, a ich obecna popularność jest tak samo duża jak w czasach starożytnego Rzymu. Zielona sałata ma walory lecznicze. Liście należy przyrządzać możliwie bezpośrednio po kupieniu, gdyż szybko więdną i źle znoszą przechowy-

wanie. Warto pamiętać, że sałaty gruntowe są bardziej kruche niż produkty szklarniowe. Sałaty głowiaste doskonale smakują w kombinacji z innymi warzywami. **Rzeżucha i rukiew wodna:** zawierają ostre oleje gorczycowe, które decydują o charakterystycznym smaku rzeżuchy i rukwi, mają również działanie zaostrzające apetyt i pozytywnie wpływają na prawidłową przemianę materii. Rzeżucha i rukiew wodna są również wykorzystywane jako przyprawa do rozmaitych dań. Przed dodaniem do potrawy, listki na-

leży dokładnie opłukać i osuszyć, układając je na papierowym ręczniku. **Lollo rosso, lollo bianco:** są to włoskie sałaty. Charakteryzują się dużą trwałością, dzięki czemu można je przechowywać. Różnią się one kolorem. Lollo rosso jest czerwono-fioletowa, natomiast lollo bianco delikatnie zielona. Kędzierzawe liście tej sałaty doskonale komponują się smakiem z innymi gatunkami sałat. **Radicchio:** liście mają kolor czerwonego wina z białymi żyłkami; smakują pikantnie i lekko gorzkawo. Przed przyrządzeniem białe zgrubienia należy pła-

Sałata fryzyjska

Sałata głowiasta

Lollo rosso

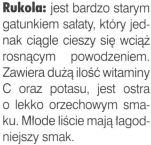

Radicchio

Sałata rzymska

Rukola

sko ściąć, w ten sposób usuwamy większość gorzkich substancji. Radicchio jest chętnie wykorzystywana do przygotowywania sałatek włoskich. **Sałata rzymska:** ma podłużne liście, które pozostają kruche nawet po połączeniu ich z gorącymi składnikami.

Surówki

Surowe warzywa mają zdecydowanie więcej witamin niż ugotowane. Dlatego znaczna ich część powinna być spożywana na surowo, w postaci surówek i sałatek. Wyjątek stanowią zielona fasolka i grzyby leśne. Powód: surowe grzyby są niesmaczne, a surowa fasolka zawiera naturalną substancję trującą, która tylko dzięki gotowaniu staje się nieszkodliwa. **Pieczarki:** jasne grzyby hodowlane. Można oczyścić je, dokładnie wycierając papierowym ręcznikiem; grzy-

Rukola: jest bardzo starym gatunkiem sałaty, który jednak ciągle cieszy się wciąż rosnącym powodzeniem. Zawiera dużą ilość witaminy C oraz potasu, jest ostra o lekko orzechowym smaku. Młode liście mają łagodniejszy smak.

Cykoria: uprawia się ją chroniąc przed światłem

bów tych lepiej nie myć. Mimo powyższej klasyfikacji, grzyby właściwie nie należą do warzyw, lecz tworzą osobną grupę botaniczną. **Fenkuł:** to warzywo środkowoeuropejskie. Ma wyraźny smak. Pokrojoną bulwę należy skropić sokiem z cytryny, dzięki temu miąższ nie straci koloru. Delikatną część zieloną należy umyć, pokroić i również wykorzystać w przygotowywanych potrawach, jest ona bogata w witaminę C i E.

Ogórek: jest warzywem wyjątkowo niskokalorycznym, a jednocześnie bogatym w witaminy i składniki

dziennym. Dzięki czemu liście cykorii są jasne. Białe fragmenty kolby mają lekko gorzki smak. Dlatego przed przyrządzeniem należy dokładnie usunąć biały głąb. Kolby świeżej cykorii są jasne, końcówki liści mają charakterystyczny jasnożółty kolor i są ciasno zamknięte.

mineralne. Ekologicznie hodowane ogórki nie wymagają obierania. **Kalarepka:** jadalna jest podziemna część warzywa – bulwa. Bulwy kalarepki mają kolor od jasnozielonego do fioletowego, są lekko słodkawe o orzechowym posmaku.

Część zielona kalarepki również nadaje się do spożycia, można nią przyprawiać potrawy. Kalarepka smakuje doskonale na surowo, jako surówka i po ugotowaniu, jako jarzynka. Wydrążone bulwy można również wypełniać pikantnymi farszami. Kalarepka jest bogata w wita-

minę C oraz składniki mineralne. Najlepiej kupować młode bulwy, starsze stają się twarde i niesmaczne.
Marchewka: od tysięcy lat jest lubianym warzywem, zawiera najwięcej karotenu spośród wszystkich warzyw. Jednakże karoten jest przyswajany przez organizm tylko w połączeniu z tłuszczem. Marchewki są dostępne na rynku przez cały rok.
Papryka: ma dziesięciokrotnie więcej witaminy C niż cytryna. Zawierają ją zarówno czerwone, zielone jak i żółte strąki. Przed spożyciem paprykę należy oczyścić z gniazd nasiennych i białych wewnętrznych ścianek.

Papryka

Rzodkiewki: małe czerwone bulwy, bliskie krewne rzodkwi przed spożyciem wymagają dokładnego umycia. Liście należy usunąć, gdyż są niejadalne.
Rzodkiew: przed spożyciem należy ją dokładnie

Pomidory

oczyścić i obrać. Szczególnie dobrze smakują w lecie jako dodatek do piwa.
Seler: bulwa jest składnikiem popularnej włoszczyzny. Seler naciowy natomiast stanowi warzywo niezbędne w potrawach kuchni śródziemnomorskiej. Kupując seler naciowy, wybierajmy tylko takie egzemplarze, które mają zielone liście. Ich żółta barwa to znak, że seler naciowy jest nieświeży.
Szpinak: należy go kilkakrotnie umyć. Szpinaku nie podgrzewamy. Do sałatek należy wybierać najładniejsze, delikatne liście.

Cukinia

Pomidory: wyjątkowo aromatyczne letnie warzywo. Pomidorów nie należy przechowywać w lodówce. W sezonie letnim warto kupować tylko pomidory gruntowe i unikać zdecydowanie mniej smacznych produktów szklarniowych. Bardzo dobre, lecz niestety droższe, są pomidorki koktajlowe.
Cukinia: warzywo dyniowate, niskokaloryczne, lekkostrawne. Żółte kwiaty cukinii cieszą się w naszej kuchni coraz większą popularnością. Cukinia nie powinna być zbyt duża, małe egzemplarze są zdecydowanie smaczniejsze.

Cebula

Cebula: do sałatek najczęściej wykorzystywane są: brązowa cebula o ostrym smaku, szalotki zdecydowanie łagodniejsze i lepiej nadające się do spożywania na surowo oraz białe cebule słodkawe i najbardziej aromatyczne.

Sałatki z ugotowanych warzyw

Przed ugotowaniem warzywa należy oczyścić, umyć i ewentualnie pokroić na mniejsze kawałki. Następnie zalać je wrzątkiem i zagotować, najpierw krótko na dużym ogniu, następnie ogień zmniejszyć i gotować jeszcze przez kilka minut. Warzywa nie powinny być zbyt miękkie. Krótko gotowane smakują lepiej i tracą zdecydowanie mniej składników odżywczych. Niektóre zawarte w warzywach witaminy są rozpuszczalne w wodzie i w czasie gotowania zostają z nich wypłukane. Utrata rozpuszczalnych w wodzie witamin następuje również w czasie mycia warzyw. Dlatego też nie należy ich długo moczyć, lecz dokładnie opłukać pod bieżącą wodą.

Karczochy: to roślina rzepakowa o delikatnym miąższu. Najsmaczniejsze jest dno karczocha nazywane jego sercem.

Fasola: występuje w różnych kształtach i kolorach. Na rynku dostępna jest często suszona lub w puszkach.

Buraki: należy gotować w skórkach, w przeciwnym razie „farbują". Z tego samego powodu, gdy zamierzamy bulwy drobno pokroić, najlepiej zrobić to w gumowych rękawiczkach.

Kalafior: do wody, w której jest gotowany, należy dodać trochę soku z cytryny. Dzięki temu zachowa ładny biały kolor. Przed gotowaniem kalafior należy włożyć na około 2 minuty do zimnej wody (głąbem do góry). W ten prosty sposób usunięte zostaną z niego owady.

Brokuły

Brokuły: są gatunkiem kapusty, blisko spokrewnionym z kalafiorem.

Groszek: występuje w wielu kształtach. Najbardziej znane odmiany to groszek zielony, brązowy i ciecierzyca. Niestety, świeże produkty są trudno dostępne na rynku, ponieważ większa część produkcji przeznaczna jest do mrożonek lub do przygotowywania mieszanek warzywnych z puszki.

Ziemniaki: należą do najważniejszych produktów spo-

Kalafior

żywczych. Mają różne właściwości zarówno, jeśli chodzi o sposób ich gotowania, jak i walory smakowe.

Do sałatek najlepiej nadają się ziemniaki o zwięzłym miąższu.

Kapusta: często występuje pod nazwą białej kapusty. Lubianymi odmianami są również kapusta czerwona i włoska.

Soczewica: pojawia się tylko w postaci suszonej. Najlepszym aromatem i jednocześnie krótkim czasem gotowania charakteryzuje się czerwona soczewica.

Kapusta

Kukurydza: jest właściwie gatunkiem zboża, w smaku podobna nieco do groszku. Dostępna w postaci świeżych kolb, jak również z puszki, w postaci ziarenek.

Szparagi: delikatne warzywo, niezastąpione gdy zamierzamy przygotować potrawę elegancką i wykwintną. Doskonale smakują same, polane jedynie stopionym masłem, lub jako dodatek do duszonej ryby.

Kiełki

Kiełki długo wykorzystywano jedynie jako składnik sałatek. Można je również spożywać samodzielnie, jeżeli przestrzegać będziemy kilku zasad, mianowicie: kiełki należy wcześniej namoczyć, potem opłukać i dokładnie przestrzegać podanego na opakowaniu terminu przydatności do spożycia oraz temperatury, w jakiej należy je przechowywać. Najpopularniejsze dostępne na rynku kiełki to: alfaalfa, kiełki pszenne i sojowe.

Dodatki

Tajemnica doskonałej sałatki leży w w odpowiednio dobranych sosach i marynatach. Zawsze starajmy się wykorzystywać składniki najwyższej jakości. Przygotowując sałatkę, należy bardzo ostrożnie stosować sól, ponieważ mieszanki ziół doskonale ją zastępują.

Ocet

Najpopularniejszy jest ocet winny, obojętne czy zrobiony z białego, czy z czerwonego wina. Przez dodanie odpowiedniej ilości ziół można nadać mu wspaniały aromat. Także owoce, szczególnie maliny, doskonale wzbogacają smak i zapach octu winnego. Szczególnie wyraźny smak ma ocet sherry, który wyjątkowo dobrze nadaje się do sosów i sałatek. Bardzo popularny stał się również ocet jabłkowy, produkowany ze świeżych jabłek. Specjałem kuchni włoskiej jest ocet balsamiczny *Aceto balsamico*, nieporównywalnie delikatniejszy od innych rodzajów octu. Ma on lekki, łagodny smak i ciemny kolor. Doskonale wpływa na smak potrawy, do której jest dodawany.

Olej

Dobre oleje sałatkowe mają dużą zawartość nienasyconych kwasów tłuszczowych. Szczególnie dobrze nadają się do sałatek: olej słonecznikowy, rzepakowy, kukurydziany i oliwa z oliwek. Najlepszej jakości jest oliwa z oliwek otrzymywana z pierwszego tłoczenia na zimno.

Do produkcji najlepszej gatunkowo oliwy wykorzystuje się niezupełnie dojrzałe oliwki, zbierane z drzew ręcznie za pomocą specjalnego „grzebienia do oliwek".

Tańsze rodzaje oliwy produkuje się z dojrzałych owoców, które z drzewa spadają na specjalnie ustawione siatki.

Poprzez dodanie do sałatek oleju z pestek dyni, oleju z orzechów włoskich, czy oleju z pestek winogron nadajemy sałatkom niepowtarzalny smak i aromat.

Oleje dostępne na rynku występują z oznaczeniem „tłoczone na zimno" lub „nierafinowane".

Zioła

Sałatka bez ziół jest jak zupa bez soli. Świeże zioła dostarczają potrawie odpowiedniej ilości przypraw i witamin. Zioła należy zerwać krótko przed dodaniem do potrawy. Następnie dokładnie opłukać i dobrze osączyć.

Bazylia: doskonale smakuje w sałatkach pomidorowych. Dobrze komponuje się smakowo z czosnkiem i rozmarynem. Niezastąpiona w sałatkach z ogórkiem i owocami morza. Dodatkową zaletą bazylii jest to, że można ją łączyć z innymi ziołami.

Natka pietruszki: praktycznie nie sposób wyobrazić sobie bez niej współczesnej kuchni. Jest uniwersalnym ziołem sałatkowym, które każdej sałatce nadaje delikatny aromat.

Szczypiorek: pasuje do każdej sałatki, w skład której wchodzi cebula. Pasuje również do sałatek mięsnych i jajecznych. Podobnie jak natka pietruszki, szczypiorek jest dostępny przez cały rok.

Tymianek: nadaje sałatce aromat dania południowego. Szczególnie dobrze pasuje do pomidorów i owczego sera. Świetnie komponuje się smakowo z cebulą i listkami laurowymi.

Mięta: jej odświeżający smak jest wyjątkowo oryginalny w sałatkach owocowych.

Szałwia: z powodu intensywnego smaku i zapachu należy używać jej oszczędnie. Dobrze smakuje w sałatkach z mięsem i drobiem. Można ją łączyć z tymiankiem.

Czosnek: jeżeli lubimy jego intensywny smak, należy ząbki posiekać lub przecisnąć przez praskę. Natomiast gdy pokroimy w plasterki, będzie zdecydowanie łagodniejszy. Im drobniej czosnek posiekany, tym intensywniejszy jest jego smak.

Sosy sałatkowe

Obok klasycznego octowo-olejowego, można przygotować także inne sosy.

Do sałatek z gotowanych warzyw, mięsa, makaronu, ryżu lub ziemniaków nadają się doskonale sosy na bazie majonezu z dodatkiem śmietany i jogurtu.

Po wymieszaniu z sosem, sałatkę odstawiamy w chłodne miejsce, dzięki temu poszczególne smaki dobrze się połączą. Aby nie „stłumić" naturalnego smaku sałatki, należy bardzo ostrożnie dodawać do niej przyprawy.

Dobre rady

Zakupy

Obowiązuje zasada, w myśl której sałaty liściaste, z których przyrządzamy sałatki, kupujemy świeżo zerwane i przyrządzamy bezpośrednio po zakupie. Świeżą sałatę poznamy po mocnych gładkich liściach bez śladu brązowych przebarwień.

Świeże ogórki, papryka i cukinia powinny być twarde i mieć niepomarszczoną skórkę. Dotyczy to także innych warzyw, takich jak: pomidory, bakłażany, marchewki. Najlepiej kupować świeże, wysokiej jakości warzywa sezonowe. Produkty gruntowe są zawsze cenniej-

sze niż te ze szklarni. Warzywa mrożone są dobrą alternatywą dla warzyw świeżych. Warto pamiętać, że produkty mrożone na skalę przemysłową zachowują więcej witamin niż mrożonki przygotowywane w domu.

Przechowywanie

Do chwili przygotowania sałatę liściastą należy przechowywać w luźnym opakowaniu, w lodówce, najlepiej w szufladzie na warzywa lub w ciemnym chłodnym pomieszczeniu, np. w piwnicy. Natomiast pomidory zawsze przechowujemy w temperaturze pokojowej, w lodówce tracą aromat.

Zamrażanie warzyw sprawia, że są one dostępne przez cały rok. Przed zamrożeniem warzywa koniecznie trzeba zblanszować. W tym celu po oczyszczeniu i ewentualnym pokrojeniu na mniejsze kawałki, umieszczamy je na 1–2 minuty w lekko osolonym wrzątku. Następnie przekładamy na sitko i płuczemy bardzo zimną wodą dzięki temu zachowują swój świeży kolor. Po osuszeniu warzywa umieszczamy w luźnym opakowaniu i wkładamy do zamrażalnika.

Świeże sałatki i surówki

Sałatka letnia z rukolą (zdjęcie str. 11)

Składniki
1 strąk żółtej papryki
2 pomidory
1 cukinia
2 fenkuły
100 g zielonej salaty
50 g rukoli
250 g sera mozzarella
2 cykorie
1 ząbek czosnku
2 łyżki octu winnego
sól
2 łyżki oliwy
czarny pieprz (z młynka)

Przyrządzanie:
1. Strąk papryki oczyścić z gniazda nasiennego, miąższ opłukać i pokroić w paseczki. Pozostałe warzywa i sałatę umyć.
2. Pomidory podzielić na ćwiartki, usunąć szypułki.
3. Cukinię i fenkuły pokroić w plasterki. Zieloną sałatę i rukolę porwać na małe kawałki.
4. Mozzarellę osączyć, pokroić w plasterki, przełożyć z przygotowanymi warzywami do miski, ostrożnie wymieszać.
5. Kolby cykorii podzielić wzdłuż na pół, usunąć głąb, liśćmi udekorować brzeg salaterki.
6. Ząbek czosnku obrać, przecisnąć przez praskę.
7. Z octu winnego, soli, pieprzu, oliwy i czosnku przygotować sos winegret. Skropić nim przygotowaną sałatkę, ponownie wymieszać.

Białko	Tłuszcz	Węglowodany	Kcal/kJ
17 g	17 g	4 g	230/960

Składniki
1/2 główki sałaty rzymskiej
1 pomidor
1/2 cukinii
1 łyżka oleju słonecznikowego
2 łyżki oliwy
1 łyżka soku z cytryny
sól, pieprz
szczypta cukru
1 kromka pieczywa tostowego
1 mały ząbek czosnku
10 g masła
2 łyżki tartego ementalera

Sałatka z grzankami czosnkowymi

Przyrządzanie:
1. Sałatę rzymską oczyścić, umyć, porwać na kawałki. Pomidor umyć, usunąć szypułkę. Miąższ pokroić w ósemki. Cukinię oczyścić, opłukać, podzielić wzdłuż na pół. Następnie pokroić w plasterki. Przygotowane składniki przełożyć do miski, wymieszać.
2. Olej słonecznikowy połączyć z oliwą, sokiem cytrynowym, solą, pieprzem i cukrem. Sosem polać sałatkę, wymieszać.
3. Pieczywo tostowe pokroić w kostkę. Ząbek czosnku obrać, przecisnąć przez praskę. Masło rozgrzać, zrumienić na nim kostki pieczywa. Dodać czosnek, wymieszać.
4. Grzankami czosnkowymi i tartym serem posypać gotową sałatkę.

Białko	Tłuszcz	Węglowodany	Kcal/kJ
8 g	29 g	11 g	340/1428

Sałatka pomidorowa z rzodkiewką

Składniki
4 pomidory
1 pęczek rzodkiewki
kilka gałązek szczypiorku
sól
pieprz
1 łyżka soku z cytryny
2 łyżki oleju

Przyrządzanie:

1. Pomidory i rzodkiewki umyć, usunąć zielone części. Warzywa pokroić w plasterki, przełożyć do miseczki, wymieszać. Szczypiorek opłukać, drobniutko posiekać, posypać sałatkę.

2. Z soli, pieprzu, soku cytrynowego i oleju przygotować marynatę, skropić nią sałatkę, ostrożnie wymieszać.

Białko	Tłuszcz	Węglowodany	Kcal/kJ
3 g	10 g	7 g	140/590

Sałatka z krakersami

Składniki
25 g rukoli
1 mały pomidor
12 g orzeszków
  piniowych
1 łyżeczka oleju
1 łyżeczka octu
  balsamicznego
1 łyżka płynnego
  rosołu warzywnego
sól
pieprz
10 g parmezanu
5 krakersów

Przyrządzanie:

1. Rukolę i pomidor dokładnie umyć. Pomidor pokroić na cząstki, wymieszać z rukolą. Orzeszki piniowe zrumienić na suchej teflonowej patelni. Dodać do sałatki, wymieszać.
2. Olej wymieszać z octem balsamicznym i rosołem.

Przyprawić do smaku solą i pieprzem, dodać do sałatki, wymieszać. Parmezan drobno zetrzeć na tarce, posypać sałatkę.
3. Krakersy połamać na duże kawałki, podawać z sałatką.

Białko	Tłuszcz	Węglowodany	Kcal/kJ
4 g	7 g	8 g	109/460

ŚWIEŻE SAŁATKI I SURÓWKI

Rukola była znana już starożytnym Rzymianom. Sałata ta, w sprzyjających warunkach klimatycznych, jest zbierana od wiosny do późnej jesieni.

Składniki

500 g kapusty kiszonej
2 jabłka lub kilka
kawałków ananasa
(z puszki)
125 g kwaśnej śmietany
szczypta cukru
2 łyżki soku z cytryny
1 łyżeczka musztardy
1 łyżka zgniecionych
ziarenek kminku
1 łyżka oleju

Sałatka z kiszonej kapusty

Przyrządzanie:
1. Kiszoną kapustę przełożyć na sitko, opłukać zimną wodą, dobrze osączyć, rozdrobnić.
2. Jabłka umyć, obrać, wydrążyć gniazda nasienne, zetrzeć na tarce. Jabłka (albo ananasy) dodać do kapusty, wymieszać.
3. Z kwaśnej śmietany, cukru, soku cytrynowego, musztardy, kminku i oleju przygotować sos. Polać sałatkę, wymieszać. Odstawić na kilkanaście minut.

Białko	Tłuszcz	Węglowodany	Kcal/kJ
3 g	7 g	14 g	130/546

Składniki

50 g zielonej sałaty
1/4 główka sałaty
lollo rosso
50 g kiełków rzodkiewki
75 g pieczarek
4 pomidorki koktajlowe
2 łyżki octu
estragonowego
1/2 łyżeczki musztardy
z całymi ziarenkami
gorczycy
3 łyżki oleju
świeżo zmielony pieprz
sól
1 łyżeczka listków
estragonu
25 g prażonych
orzeszków piniowych

Jesienna sałatka witaminowa

Przyrządzanie:
1. Sałatę przebrać, oczyścić, opłukać, dobrze osączyć na sitku. Liście porwać na małe kawałki.
2. Kiełki rzodkiewki opłukać. Pieczarki oczyścić, pokroić w plasterki. Pomidorki koktajlowe umyć, pokroić na połówki.
3. Przygotować sos: ocet połączyć z musztardą i olejem. Przyprawić do smaku solą i pieprzem.
4. Sałatkę przełożyć do dużej salaterki, polać sosem. Posypać listkami estragonu i orzeszkami piniowymi.

Białko	Tłuszcz	Węglowodany	Kcal/kJ
6 g	20 g	6 g	133/968

Kiełki rzodkiewki
można wyhodować
samodzielnie.

Sałatka z boczkiem

Przyrządzanie:

1. Zieloną sałatę oczyścić, liście rozdzielić. Rukolę i mniszek przebrać. Całość porwać na kawałki, opłukać zimną wodą, osuszyć. Przełożyć na cztery talerze.
2. Jajka obrać, drobno posiekać.
3. Ocet wymieszać z solą, musztardą i 5 łyżkami oliwy. Sosem skropić sałatę. Posypać posiekanym jajkiem.
4. Boczek pokroić w paseczki. Skórkę od pieczy-

wa usunąć. Chleb pokroić w kostkę. Pozostałą oliwę rozgrzać, wysmażyć na niej paseczki boczku, dodać kostki pieczywa, zrumienić.
5. Gorące grzanki przełożyć do sałatki. Danie posypać świeżo zmielonym pieprzem.

Składniki

1 główka sałaty radicchio
1/2 główki zielonej sałaty
1/2 główki sałaty dębowej
1 pęczek rukoli
50 g młodego mniszka lekarskiego
4 jajka ugotowane na twardo
2 łyżki octu winnego z białego wina
2 łyżeczki musztardy
7 łyżek oliwy, sól
100 g chudego wędzonego boczku
4 kromki pieczywa tostowego
czarny pieprz (z młynka)

Białko	Tłuszcz	Węglowodany	Kcal/kJ
13 g	42 g	14 g	480/2033

15

Składniki
3 pomidory
200 g ogórka
  sałatkowego
100 g owczego sera
1 cebula
3 łyżki oliwy
1 łyżka octu
1 ząbek czosnku
sól ziołowa
1 łyżka posiekanej
  natki pietruszki
12 czarnych oliwek

Sałatka grecka

Przyrządzanie:
1. Pomidory umyć, miąższ pokroić na ósemki. Ogórek obrać, podzielić wzdłuż na pół, usunąć pestki. Miąższ pokroić w plasterki.
2. Owczy ser pokroić w kostkę. Cebulę obrać, pokroić w cienkie krążki.

3. Oliwę wymieszać z octem i przeciśniętym przez praskę czosnkiem. Przyprawić do smaku solą i pieprzem. Dodać natkę pietruszki, wymieszać.
4. Wszystkie składniki wymieszać z sosem.

Białko	Tłuszcz	Węglowodany	Kcal/kJ
5 g	10 g	4 g	130/541

Sałatka ziołowa

Przyrządzanie:
1. Rukolę i sałatę lollo rosso oczyścić, umyć, porwać na kawałki. Pomidorki koktajlowe dokładnie umyć, podzielić na połówki.
2. Zioła umyć, listki oderwać od gałązek i posiekać. Ocet wymieszać z oliwą, solą, pieprzem i zioła-mi. Orzeszki piniowe zrumienić na suchej patelni.
3. Składniki sałatki wymieszać z przygotowanym sosem. Przed podaniem posypać orzeszkami piniowymi.

Białko	Tłuszcz	Węglowodany	Kcal/kJ
4 g	39 g	5 g	392/1642

Składniki
1 pęczek rukoli
1/2 główki sałaty lollo rosso
100 g pomidorków koktajlowych
1 pęczek mieszanych ziół (trybula, biedrzeniec, estragon)
1 łyżka octu balsamicznego
3 łyżki oliwy
sól, pieprz
25 g orzeszków piniowych

Surówka z pieczarkami

Przyrządzanie:
1. Jabłko pokroić w słupki, skropić sokiem z cytryny, ażeby nie ściemniały.
2. Z główki czerwonej kapusty oderwać zewnętrzne liście. Pozostałą kapustę poszatkować. Pieczarki oczyścić, dobrze wytrzeć papierowym ręcznikiem, następnie pokroić w plasterki. Cebulę obrać, drobno posiekać.
3. Składniki na sos wymieszać, dodać cebulę. Do miski przełożyć kapustę, jabłko i pieczarki. Całość polać sosem, wymieszać.

Białko	Tłuszcz	Węglowodany	Kcal/kJ
3 g	13 g	20 g	215/905

Składniki
1 kwaśne jabłko
sok z 1/2 cytryny
1/2 główki czerwonej kapusty (500 g)
80 g pieczarek
1 mała cebula
Sos:
1 łyżeczka miodu
4 łyżki octu jabłkowego
sól, pieprz
5–6 łyżek oleju słonecznikowego

ŚWIEŻE SAŁATKI I SURÓWKI

RADA

Surówkę z czerwonej kapusty można podawać jako dodatek do wędzonej piersi kaczki lub do pieczonej gęsi serwowanych na zimno. Dania te doskonale smakują z kieliszkiem czerwonego wina.

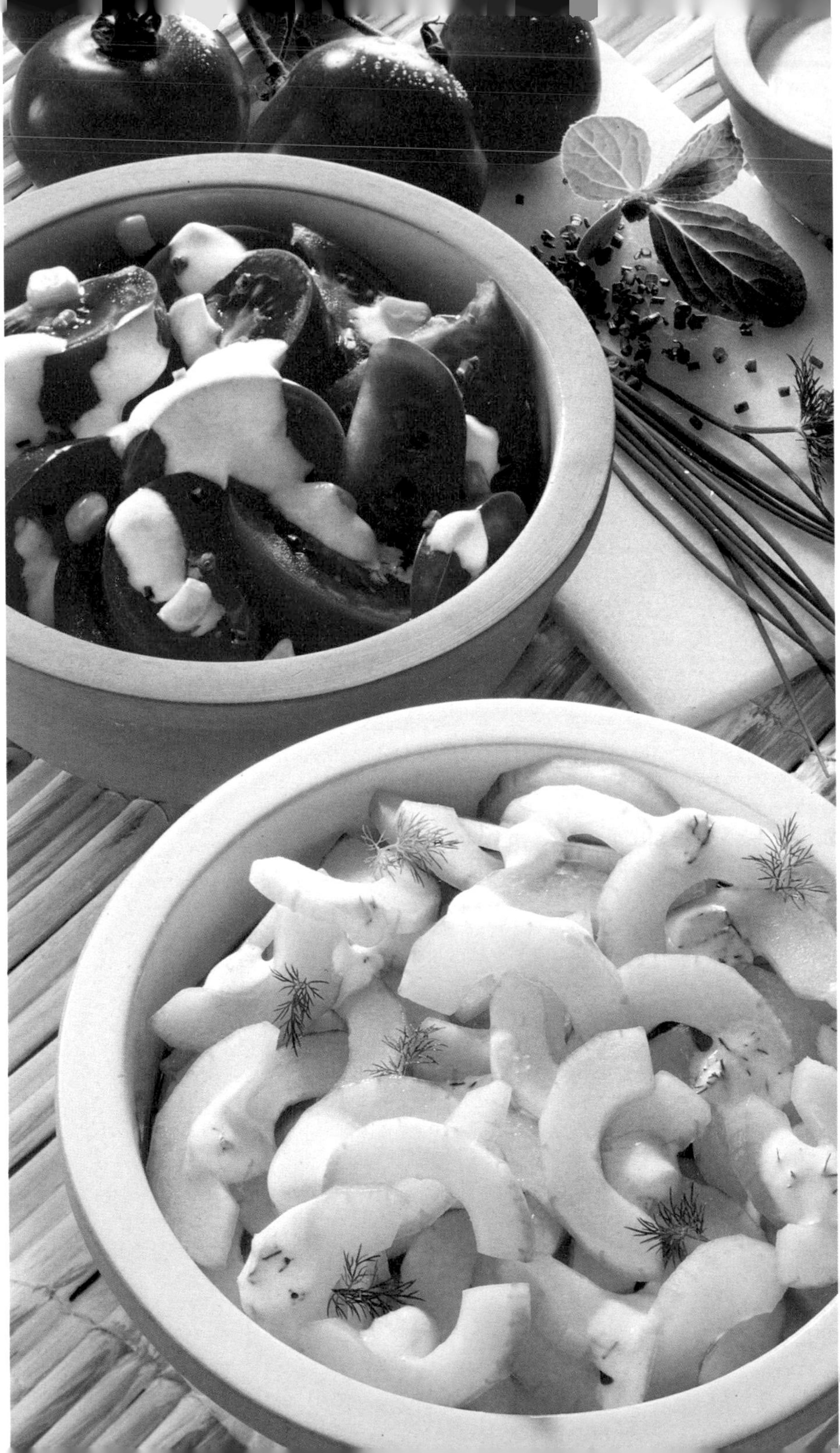

Sałatka pomidorowa z kukurydzą

Przyrządzanie:
1. Pomidory umyć, pokroić w ósemki, usunąć szypułki.
2. Szczypiorek opłukać, posiekać.
3. Ziarenka kukurydzy, kawałki pomidora i szczypiorek przełożyć do miski, wymieszać.
4. Cebulę obrać, drobniutko posiekać. Ząbek czosnku obrać, zgnieść.
5. Kwaśną śmietanę wymieszać na gładko z mlekiem. Dodać cebulę, czosnek i sok z cytryny. Przyprawić do smaku solą i pieprzem. Przygotowanym sosem polać sałatkę
6. Danie wstawić na kilkanaście minut do lodówki.

Białko	Tłuszcz	Węglowodany	Kcal/kJ
4 g	8 g	10 g	128/534

Składniki
600 g pomidorów
1/2 pęczka szczypiorku
1/2 filiżanki kukurydzy (z puszki)
1 mała cebula
1 ząbek czosnku
150 g kwaśnej śmietany
100 ml mleka
2 łyżki soku z cytryny
sól
biały pieprz

Sałatka ogórkowa

Przyrządzanie:
1. Ogórek obrać, łyżką usunąć pestki. Miąższ pokroić na małe kawałki.
2. Kwaśną śmietanę wymieszać z mlekiem. Dodać sok cytrynowy, sól, pieprz i posiekany koperek. Przygotowanym sosem polać ogórek.
3. Przykryć, odstawić w chłodne miejsce, aby smaki mogły się połączyć. Przed podaniem udekorować gałązkami koperku.

Białko	Tłuszcz	Węglowodany	Kcal/kJ
3 g	5 g	5 g	76/318

Składniki
1 duży ogórek sałatkowy
150 g kwaśnej gęstej śmietany
1/8 litra mleka
sok z 1/2 cytryny
sól, pieprz
2 łyżki drobno posiekanego koperku
gałązki koperku do dekoracji

Endywia z sosem winegret

Przyrządzanie:
1. Endywię oczyścić, usunąć zewnętrzne zielone i zwiędłe liście.
2. Główkę sałaty rozłożyć, liście dokładnie umyć, osączyć na sitku.

Następnie pokroić w paseczki, wymieszać z sosem winegret. Natychmiast podawać.

Białko	Tłuszcz	Węglowodany	Kcal/kJ
2 g	10 g	1 g	106/446

Składniki
1 główka sałaty (endywia)
sos winegret (przepis str. 79)

ŚWIEŻE SAŁATKI I SURÓWKI

Składniki
2 fenkuły
4 marchewki
1 pomarańcza
1 pęczek szczypiorku
250 g majonezu

Sałatka z marchewką i fenkułem

Przyrządzanie:
1. Fenkuły oczyścić i umyć. Część zieloną drobniutko posiekać, odłożyć do dekoracji. Bulwy podzielić na pół, następnie pokroić w cienkie paseczki.
2. Marchewki oczyścić, umyć, obrać i zetrzeć na tarce.
3. Pomarańczę obrać, podzielić na ćwiartki, zdjąć białą błonkę i podrobić.
4. Szczypiorek opłukać, drobniutko posiekać.
5. Przygotowane składniki wymieszać z majonezem. Przełożyć na cztery talerze. Udekorować posiekaną zieleniną.

Białko	Tłuszcz	Węglowodany	Kcal/kJ
4 g	53 g	13 g	553/2313

Sałatka z białej kapusty

Przyrządzanie:
1. Kapustę przełożyć do miski, posypać solą, dokładnie wymieszać.
2. Szynkę pokroić w drobną kostkę, wysmażyć na suchej patelni. Podlać rosołem. Dodać kminek i cukier, wymieszać, odstawić na kilka minut. Następnie przełożyć do kapusty.

3. Cebulę i czosnek obrać, posiekać, przełożyć do kapusty. Wlać kwas chlebowy. Całość ponownie zamieszać, odstawić na kilka minut w chłodne miejsce, aby smaki się połączyły.

Białko	Tłuszcz	Węglowodany	Kcal/kJ
15 g	10 g	36 g	301/1259

Składniki
500 g drobno poszatkowanej białej kapusty
1/2 łyżeczki soli
30 g chudej szynki
1 filiżanka rosołu (instant)
kminek
szczypta cukru
1 mała cebula
1 mały ząbek czosnku
200 ml kwasu chlebowego

Sałatka z kalarepką

Przyrządzanie:
1. Sałatę umyć, osuszyć. Kalarepkę umyć, obrać, pokroić w paseczki. Marchewkę i pieczarki oczyścić. Marchewkę pokroić w plasterki, pieczarki na ćwiartki. Warzywa i grzyby przełożyć do miski, wymieszać.
2. Pestki słonecznika zrumienić na suchej patelni.

3. Z octu, oleju, soli, pieprzu i musztardy przygotować sos. Polać sałatkę. Całość ponownie wymieszać. Przed podaniem posypać zrumienionymi pestkami słonecznika.

Białko	Tłuszcz	Węglowodany	Kcal/kJ
7 g	21 g	9 g	260/1090

Składniki
100 g mieszanki sałat (lollo rosso i fryzyjskiej)
1 mała kalarepka
1 mała marchewka
4 pieczarki
25 g pestek słonecznika
1 łyżka łagodnego octu ziołowego
3 łyżki oleju słonecznikowego
sól, czarny pieprz
1 łyżeczka musztardy

Sałatka serbska

Przyrządzanie:
1. Pomidory umyć, usunąć szypułki, pokroić w plasterki.
2. Paprykę oczyścić, usunąć gniazda nasienne. Miąższ pokroić w paseczki. Cebulę obrać, pokroić w krążki.

3. Pomidory, paprykę i cebulę przełożyć do miski, wymieszać. Przyprawić świeżo zmielonym pieprzem. Sosem polać sałatkę.

Białko	Tłuszcz	Węglowodany	Kcal/kJ
2 g	11 g	9 g	142/599

Składniki
500 g pomidorów
250 g papryki
1 mała cebula
pieprz (z młynka)
sos winegret (przepis str. 79)

Składniki
100 g rukwii wodnej
trochę szczypiorku
4 pomarańcze
2 kromki białego pieczywa
4 łyżki majonezu
sałatkowego
2 łyżki soku
z pomarańczy
pieprz, sól
6–8 cienkich
plasterków chudego
wędzonego boczku
3 łyżki oleju
słonecznikowego

Rukiew wodną
można zastąpić
sałatą lollo rosso.

Sałatka z rukwią wodną

Przyrządzanie:
1. Rukiew dokładnie umyć pod bieżącą wodą, osączyć na sitku, listki oderwać od gałązek.
2. Pomarańcze obrać, podzielić na cząstki. Pieczywo pokroić w kostkę.
3. Do majonezu wrzucić połowę posiekanego szczypiorku. Dodać sok pomarańczowy i przyprawy, wymieszać.
4. Boczek wysmażyć na suchej patelni. Na drugiej

patelni rozgrzać olej, zrumienić na nim chleb.
5. Rukiew wymieszać z pomarańczami. Polać przygotowanym sosem.
6. Posypać grzankami i boczkiem.

Białko	Tłuszcz	Węglowodany	Kcal/kJ
4 g	23 g	14 g	283/1189

Składniki
500 g marchewki
30 g posiekanych
orzechów włoskich
sos jogurtowy
(przepis str. 82)

Surówka z marchewki

Przyrządzanie:
1. Marchewki oczyścić, umyć i obrać, zetrzeć na tarce o drobnych oczkach.

2. Wymieszać z sosem jogurtowym, posypać orzechami włoskimi.

Białko	Tłuszcz	Węglowodany	Kcal/kJ
4 g	8 g	9 g	120/508

Sałatka fitness

Przyrządzanie:

1. Marchewki i kalarepkę obrać. Marchewki pokroić w plasterki. Kalarepkę podzielić na ćwiartki pokroić w plasterki. Pieczarki oczyścić, pokroić. Sałatę oczyścić, opłukać i osączyć.
2. Pestki słonecznika zrumienić na suchej patelni. Zieleninę drobno posiekać.
3. Ocet przyprawić solą, pieprzem i cukrem. Dodać olej, wymieszać. Wrzucić posiekaną zieleninę i pestki słonecznika, zamieszać.
4. Półmisek wyłożyć liśćmi sałaty. Pośrodku umieścić pieczarki, kalarepkę i marchewki. Skropić odrobiną sosu winegret. Pozostały sos przełożyć do miseczki, podawać osobno.

Białko	Tłuszcz	Węglowodany	Kcal/kJ
5 g	19 g	7 g	226/940

Składniki
125 g marchewki
1 kalarepka
50 g pieczarek
50 g sałaty roszponki
50 g sałaty dębowej
15 g pestek słonecznika
po 1/2 pęczka natki
  pietruszki i koperku
2 łyżki octu ziołowego
sól, pieprz, cukier
3 łyżki oleju
  słonecznikowego

RADA

Przygotowując sałatkę z kalarepką, należy wybierać małe bulwy. Duże są twarde „zdrewniałe". Delikatne liście kalarepki zawierają wyjątkowo dużo witaminy A i C.

ŚWIEŻE SAŁATKI I SURÓWKI

Skladniki

1/2 kolby cykorii
125 g sera grojera
1 łyżka musztardy
oliwa lub olej roślinny
ocet winny z białego
  wina
sól
pieprz
4 łyżki posiekanych
  orzechów włoskich

Sałatka z cykorii

Przyrządzanie:
1. Cykorię umyć, pokroić w cienkie paseczki.
2. Ser pokroić w małą kostkę.
3. Musztardę wymieszać z oliwą, octem winnym, solą i pieprzem.

4. Wszystkie składniki wymieszać, posypać orzechami włoskimi.

Białko	Tłuszcz	Węglowodany	Kcal/kJ
11 g	27 g	5 g	310/298

Skladniki

1 bulwa selera
1 łyżeczka soku
  z cytryny
3 kwaśne jabłka
2 gruszki
100 g ementalera
1 kromka razowego
  pieczywa tostowego
1 łyżka masła
10 połówek obranych
  orzechów włoskich
1 łyżka octu winnego
  z czerwonego wina
sól, pieprz
trochę cukru

Bulwy selera powinny być twarde. Jeżeli po naciśnięciu skórka wyraźnie się ugina, to znaczy że seler jest nieświeży, jego miąższ z pewnością będzie gąbczasty i niesmaczny.

Sałatka jesienna

Przyrządzanie:
1. Seler obrać, pokroić w paseczki. Skropić sokiem z cytryny. Odstawić na 30 minut w chłodne miejsce.
2. Jabłka i gruszki umyć, podzielić na ćwiartki, usunąć środki z pestkami. Jedną ćwiartkę jabłka zetrzeć na tarce, pozostałe owoce pokroić w plasterki.
3. Ementaler i pieczywo tostowe pokroić w kostkę.

Masło rozgrzać, zrumienić kostki pieczywa.
4. Połowę orzechów posiekać.
5. Przygotować sos: ocet wymieszać z przyprawami i tartym jabłkiem. Dodać przygotowane składniki, wymieszać. Udekorować pozostałymi orzechami włoskimi.

Białko	Tłuszcz	Węglowodany	Kcal/kJ
14 g	35 g	24 g	468/1957

Składniki
3 łyżki octu sherry
1 łyżeczka cukru
sól, biały pieprz
5 łyżek oleju orzechowego
60 g orzechów włoskich
300 g jasnych
 i ciemnych winogron
400 g pieczarek
1 łyżka posiekanego
 szczypiorku

Sałatka pieczarkowa

Przyrządzanie:
1. Ocet wymieszać z cukrem, solą i pieprzem. Gdy sól i cukier zupełnie się rozpuszczą, dodać do marynaty olej.
2. Orzechy włoskie grubo posiekać. Winogrona umyć, oderwać od gałązek, pokroić na połówki, usunąć pestki.

3. Pieczarki oczyścić, pokroić w plasterki.
4. Przygotowane składniki przełożyć do miski, polać marynatą, wymieszać. Przykryć, wstawić na 30 minut do lodówki.
5. Przed podaniem sałatkę posypać szczypiorkiem.

Białko	Tłuszcz	Węglowodany	Kcal/kJ
16 g	10 g	76 g	480/2005

Sałatka pomidorowa z fenkułem

Przyrządzanie:
1. Pomidory umyć, pokroić w plasterki, przełożyć na cztery talerze. Fenkuł oczyścić, pokroić w paseczki. Ułożyć na plasterkach pomidora. Owczy ser pokroić

w kostkę, wymieszać z kiełkami. Dodać do sałatki.
2. Pieczywo tostowe zrumienić, pokroić w drobną kostkę. Posypać nim sałatkę.

Białko	Tłuszcz	Węglowodany	Kcal/kJ
12 g	10 g	10 g	177/743

Składniki
350 g pomidorów
1 fenkuł
200 g owczego sera
30 g kiełków soi
1 kromka pieczywa
 tostowego

Składniki

250 g rukoli
200 g pomidorków koktajlowych
1 cebula
2 łyżki orzeszków piniowych
1 pęczek mieszanych ziół
3 łyżki octu winnego z białego wina
sól
czarny pieprz
5 łyżek oleju

Sałatka z orzeszkami piniowymi

Przyrządzanie:

1. Rukolę oczyścić, opłukać, porwać na małe kawałki.
2. Pomidory umyć, podzielić na ćwiartki, usunąć szypułki.
3. Cebulę obrać, drobniutko posiekać.
4. Orzeszki piniowe zrumienić na suchej patelni.
5. Zioła umyć, osuszyć, drobno posiekać.
6. Z octu, soli, pieprzu i oleju przygotować sos winegret. Dodać zioła, wymieszać.
7. Rukolę, pomidorki koktajlowe i posiekaną cebulę wymieszać z orzeszkami piniowymi. Przełożyć do salaterki. Skropić ziołowym sosem winegret.
8. Sałatkę podawać z białym pieczywem.

Białko	Tłuszcz	Węglowodany	Kcal/kJ
2 g	12 g	4 g	130/540

Składniki
125 g białej kapusty
1 kalarepka
2 marchewki
2 kiwi
150 g jogurtu
1 łyżka oleju
1 łyżka posiekanej
 natki pietruszki
sól ziołowa

Surówka z kiwi

Przyrządzanie:
1. Kapustę, kalarepkę i marchewkę oczyścić, umyć, zetrzeć na tarce o grubych oczkach.
2. Kiwi obrać, pokroić w plasterki.

3. Jogurt wymieszać z olejem, posiekaną natką pietruszki i solą ziołową. Przygotowanym sosem polać składniki sałatki, wymieszać.

Białko	Tłuszcz	Węglowodany	Kcal/kJ
2 g	0,5 g	8 g	46/195

Pikantna sałatka letnia

Przyrządzanie:
1. Sałatę, pomidory, cukinię i seler naciowy oczyścić, umyć i osuszyć. Liście sałaty porwać na małe kawałki. Pomidory pokroić w plasterki, cukinię w słupki, a seler naciowy na małe kawałki.
2. Cebule obrać, pokroić w cienkie krążki.
3. Przygotować sos: olej połączyć z oliwą, octem, musztardą i sosem sojowym. Przyprawić do smaku solą, pieprzem, cukrem i bazylią. Wymieszać ze składnikami sałatki.
4. Gotową sałatkę posypać rzeżuchą.

Składniki
1 główka zielonej sałaty
4 pomidory
1 cukinia
1 mały seler naciowy
2 cebule
3 łyżki oleju
 słonecznikowego
2 łyżki oliwy
3 łyżki octu balsamicznego
1 łyżeczka musztardy
1 łyżeczka sosu sojowego
sól, pieprz, trochę cukru
1/2 łyżeczki
 posiekanej bazylii
1 pojemnik rzeżuchy

Białko	Tłuszcz	Węglowodany	Kcal/kJ
2 g	19 g	7 g	214/895

Składniki
750 g kapusty pekińskiej
kilka gałązek natki
pietruszki
2 łyżki octu lub soku
cytrynowego
sól, pieprz, cukier
2 łyżeczki keczupu
2 łyżki oleju
75 g jogurtu lub 100 g
kwaśnej śmietany

Sałatka z kapusty pekińskiej

Przyrządzanie:
1. Kapustę pekińską oczyścić, usunąć zewnętrzne zwiędłe liście. Pozostałe liście umyć, pokroić w paski. Natkę pietruszki opłukać, listki oderwać od gałązek, posie-

kać. Dodać do kapusty pekińskiej.
2. Z pozostałych składników przygotować marynatę, połączyć z sałatką, wymieszać.

Białko	Tłuszcz	Węglowodany	Kcal/kJ
3 g	71 g	5 g	92/385

Składniki
50 g chudej szynki
wołowej
2 jabłka
1 banan
2 selery naciowe
1 dymka
1 łyżka soku z cytryny
1 łyżka octu
2 łyżki oleju
sól, pieprz
po 1/2 pęczka natki
pietruszki i szczypiorku
1 łyżka posiekanych
orzechów włoskich

Sałatka z jabłkiem i orzechami

Przyrządzanie:
1. Szynkę pokroić w kostkę. Jabłko umyć, podzielić na ćwiartki, usunąć środki z pestkami. Miąższ pokroić na cząstki. Banan obrać, pokroić w plasterki. Selery i dymkę umyć, pokroić na kawałki lub w krążki. Składniki sałatki polać sokiem cytrynowym.

2. Ocet wymieszać z olejem, solą i pieprzem. Sosem polać sałatkę.
3. Natkę pietruszki i szczypiorek opłukać, posiekać. Sałatkę posypać zieleniną i orzechami.

Białko	Tłuszcz	Węglowodany	Kcal/kJ
12 g	13 g	56 g	395/1650

Składniki
500 g porów
250 g pomidorków
koktajlowych
200 g żółtego sera
(najlepiej goudy)
1 małe mango
100 g twarogu
sok z 2 cytryn
2 łyżki posiekanego
szczypiorku
100 g śmietany
sól, pieprz
3 gałązki natki pietruszki

Sałatka z mango

Przyrządzanie:
1. Pory umyć, przekroić wzdłuż na pół, opłukać pod bieżącą wodą, osuszyć, pokroić w krążki.
2. Pomidory umyć, podzielić na ćwiartki. Żółty ser pokroić w kostkę. Mango obrać, pokroić na cząstki, usunąć pestkę. Wszystkie składniki przełożyć do miski, wymieszać.

3. Przygotować sos: twaróg wymieszać z sokiem cytrynowym, szczypiorkiem i śmietaną. Dip przyprawić do smaku solą i pieprzem.
4. Natkę pietruszki umyć, listki oderwać od gałązek. Sałatkę podawać z dipem twarogowym. Udekorować listkami natki pietruszki.

Białko	Tłuszcz	Węglowodany	Kcal/kJ
21 g	26 g	22 g	407/1707

ŚWIEŻE SAŁATKI I SURÓWKI

SAŁATKI Z MIĘSEM I WĘDLINĄ

Sałatki z mięsem i wędliną

Składniki
300 g polędwiczki wieprzowej
7 łyżek oleju
sól
świeżo zmielony pieprz
2 czerwone pomarańcze
100 g truskawek
125 g rukoli
100 g rukwi wodnej
50 g orzeszków piniowych
1 łyżka likieru cassis (porzeczkowego)
3 łyżki octu winnego z czerwonego wina
pieprz cayenne

Do sałatki pasuje mocne czerwone wino.

Sałatka z polędwiczką wieprzową
(zdjęcie str. 29)

Przyrządzanie:
1. Mięso umyć, osuszyć, podsmażyć ze wszystkich stron na 2 łyżkach oleju, na średnim ogniu. Ogień zredukować, mięso smażyć jeszcze 10 minut, tak aby w środku pozostało różowe. Przyprawić do smaku solą i pieprzem, przestudzić.
2. Pomarańcze obrać, dokładnie usunąć białą skórkę. Miąższ podzielić na cząstki. Truskawki umyć, oczyścić, pokroić w plasterki.
3. Sałatę oczyścić, umyć, osączyć. Rukiew opłukać, osuszyć.

4. Orzeszki piniowe zrumienić na suchej patelni.
5. Likier cassis wymieszać z octem i olejem, przyprawić solą, pieprzem i pieprzem cayenne.
6. Polędwiczkę pokroić w plasterki. Sałatę, rukiew i owoce połączyć z orzeszkami piniowymi, przełożyć z mięsem na talerze, skropić przygotowanym sosem.

Białko	Tłuszcz	Węglowodany	Kcal/kJ
21 g	26 g	10 g	360/1505

Składniki
300 g combra jagnięcego
sól
biały pieprz
1 łyżka oleju
1/2 główki sałaty fryzyjskiej
1/2 główki sałaty dębowej
4 figi
2 gruszki
200 g twarogu
sok z 1 cytryny
1 łyżka miodu
czerwony pieprz

Sałatka z jagnięciną

Przyrządzanie:
1. Umyte i osuszone mięso przyprawić solą i pieprzem. Smażyć 5 minut ze wszystkich stron, na oleju. Zdjąć z patelni, przestudzić.
2. Sałatę oczyścić, umyć, porwać na kawałki.
3. Owoce umyć. Figi pokroić w plasterki. Gruszki podzielić na ćwiartki, usunąć środki z pestkami, miąższ pokroić na cienkie cząstki.

4. Przygotować dip: twaróg wymieszać z sokiem z cytryny i miodem, przyprawić solą i pieprzem.
5. Mięso pokroić w plasterki, przełożyć z sałatką na talerze. Dodać sos. Całość posypać grubo zmielonym czerwonym pieprzem.

Białko	Tłuszcz	Węglowodany	Kcal/kJ
2 g	10 g	6 g	132/554

Sałatka z jagnięciną i pestkami słonecznika

Przyrządzanie:

1. Pestki słonecznika zrumienić na suchej patelni, wystudzić, trochę odłożyć do dekoracji. Pozostałe pestki wymieszać z jęczmieniem.

2. Przygotować sos: ocet winny wymieszać z musztardą, solą, pieprzem i cukrem. Dodać oliwę, miętę i bazylię. Dokładnie wymieszać. Połowę sosu przełożyć do jęczmienia ze słonecznikiem. Całość ponownie wymieszać, odstawić w chłodne miejsce.

3. Mięso pokroić na małe kawałki, smażyć na rozgrzanej oliwie. Przełożyć na talerz, odstawić na kilka minut, następnie pokroić w cienkie plasterki, przyprawić solą i pieprzem.

4. Rukolę i pomidory oczyścić, umyć. Pomidory pokroić na połówki lub ćwiartki.

5. Rukolę i pomidory przełożyć na 4 talerze. Dodać porcję jęczmienia ze słonecznikiem oraz mięsa. Skropić przygotowanym sosem.

6. Gotowe danie posypać odłożonymi pestkami słonecznika.

Składniki
100 g pestek słonecznika
100 g ugotowanego jęczmienia
2 łyżki octu winnego z białego wina
2 łyżeczki musztardy
szczypta soli
pieprz
szczypta cukru
6 łyżek oliwy
2 łyżki posiekanej świeżej mięty
1 łyżka posiekanej świeżej bazylii
400 g jagnięciny z udźca
oliwa do smażenia
100 g rukoli
250 g pomidorków koktajlowych

Białko	Tłuszcz	Węglowodany	Kcal/kJ
30 g	30 g	20 g	510/2142

RADA
Mięso jagnięce jest wysokowartościowe. Relatywnie chude zawiera wartościowe witaminy, składniki mineralne i białko. Świeża jagnięcina dostępna jest przede wszystkim wczesnym latem i jesienią.

Składniki

2 średnie filety
z piersi kaczki
sól
pieprz z młynka
300 g białych
szparagów
300 g zielonych
szparagów
250 g truskawek
1 główka sałaty
fryzyjskiej
czerwony pieprz
1 pomarańcza
1/2 pęczka mięty
3 łyżki majonezu (80%)
150 g śmietany
kremówki
2 łyżki zrumienionych
płatków migdałów
3–4 łyżki soku
pomarańczowego

Sałatka z piersią kaczki

Przyrządzanie:

1. Mięso smażyć 7 minut na teflonowej patelni (zaczynając od strony ze skórą), przyprawić solą i pieprzem, lekko przestudzić.

2. Białe szparagi obrać, w zielonych szparagach obrać dolną część. Wszystkie pędy pokroić na kawałki o długości 3–4 centymetry. Gotować 7 minut w osolonej wodzie, odcedzić, zahartować zimną wodą, dobrze osączyć na sitku.

3. Truskawki pokroić w plasterki, sałatę fryzyjską porwać na kawałki.

4. Przygotować sos: pomarańczę sparzyć, skórkę cienko otrzeć. Miętę pokroić w paseczki, przełożyć ze skórką pomarań-czową do majonezu, dodać śmietanę, wymieszać. Sos przyprawić 3–4 łyżkami soku pomarańczowego z solą i pieprzem.

5. Mięso pokroić w plasterki, przełożyć z pozostałymi składnikami sałatki na talerze. Skropić odrobiną sosu. Pozostały sos przelać do sosjerki, podawać osobno.

6. Gotową sałatkę posypać płatkami migdałów i czerwonym pieprzem.

Białko	Tłuszcz	Węglowodany	Kcal/kJ
6 g	14 g	18 g	227/953

Sałatka z kurczakiem

Przyrządzanie:

1. Mięso umyć, osuszyć, przyprawić solą i pieprzem.
2. Masło roślinne rozgrzać, smażyć na nim mięso 4 minuty z każdej strony. Zdjąć z patelni, wystudzić.
3. Rukolę oczyścić, umyć dobrze osączyć.
4. Liście cykorii rozdzielić, również dokładnie umyć i osączyć.
5. Pomidorki koktajlowe umyć, podzielić na połówki lub ćwiartki. Awokado obrać, podzielić wzdłuż na pół, usunąć pestki, miąższ pokroić na cząstki.
6. Ser pokroić w kostkę.

7. Mięso pokroić w plasterki, przełożyć na talerze z pozostałymi składnikami sałatki.
8. Z octu malinowego, oliwy i szczypty soli przygotować sos winegret. Skropić nim sałatkę.

Białko	Tłuszcz	Węglowodany	Kcal/kJ
40 g	79 g	4 g	888/3700

Składniki

500 g filetów z piersi kurczaka
sól, biały pieprz
2 łyżki masła roślinnego
100 g rukoli
2 cykorie
200 g pomidorków koktajlowych
2 małe awokado
1 ser z delikatną pleśnią
2 łyżki octu malinowego
6 łyżek oliwy
szczypta soli

RADA

Owoce awokado zawierają olej podobny do oliwy z oliwek. Jest on bogaty w potas wapń, żelazo i inne składniki mineralne, jak również witaminę E i witaminy z grupy B.

SAŁATKI Z MIĘSEM I WĘDLINĄ

Składniki
300 g wątróbki z gęsi
biały pieprz z młynka
2 łyżki świeżych
  listków tymianku
100 g sałaty fryzyjskiej
1 sałata radicchio
1 sałata dębowa
2 łyżki octu
4 łyżki octu winnego
  z białego wina
6 łyżek oleju
  z orzechów włoskich
1 łyżeczka ostrej
  musztardy
3 szalotki
1 łyżka masła roślinnego
100 g pomidorków
  koktajlowych
sól

Sałatka z wątróbką

Przyrządzanie:
1. Wątróbkę umyć, osuszyć, pokroić w plasterki, posypać pieprzem i listkami tymianku. Przykryć, wstawić do lodówki.
2. Liście sałaty oczyścić, umyć i osuszyć. Przełożyć na 4 talerze.
3. Ocet wymieszać z octem winnym, olejem, musztardą, solą i pieprzem.
4. Szalotki obrać, posiekać.
5. Masło roślinne rozgrzać, zrumienić na nim szalotki, dodać wątróbkę. Smażyć 4 minuty ze wszystkich stron, zdjąć z patelni.

6. Patelnię zdjąć z ognia, do tłuszczu ze smażenia wlać przygotowaną marynatę, wymieszać, następnie skropić liście sałaty.
7. Pomidorki koktajlowe umyć, pokroić na połówki, przełożyć z wątróbką do sałaty, posypać pieprzem.

Białko	Tłuszcz	Węglowodany	Kcal/kJ
10 g	17 g	5 g	213/892

Składniki
200 g sałaty lodowej
500 g czerwonej
  i żółtej papryki
150 g kiełków soi
2 małe cebule
400 g sznycli z indyka
10 łyżek oliwy
2 zgniecione ząbki
  czosnku
6–8 łyżek soku z limonki
sól
biały pieprz

Sałatka z indykiem

Przyrządzanie:
1. Sałatę lodową oczyścić, umyć i osączyć. Przełożyć na 4 talerze. Strąki papryki oczyścić, opłukać, pokroić w cienkie paseczki. Kiełki soi umyć, osączyć. Cebule obrać, posiekać.
2. Mięso umyć, osuszyć, pokroić w paseczki. Na patelni rozgrzać 4 łyżki oliwy, smażyć na niej kawałki indyka kilka minut, nie przerywając mieszania. Pod ko-

niec smażenia dodać cebulę, czosnek, paprykę i kiełki. Dusić kilka minut. Przyprawić solą i pieprzem. Sok z limonki połączyć z pozostałą oliwą, dodać do sałatki, wymieszać. Ponownie przyprawić do smaku.
3. Gotowe danie umieścić na talerzach wyłożonych sałatą. Natychmiast podawać.

Białko	Tłuszcz	Węglowodany	Kcal/kJ
26 g	13 g	5 g	250/1050

Sałatka drobiowa

SAŁATKI Z MIĘSEM I WĘDLINĄ

Składniki
1,2 kg oczyszczonych
  i obranych szparagów
sól
300 g ugotowanej
  lub grillowanej piersi
  z indyka
500 g truskawek
200 g rukoli lub innej
  sałaty
20 g kefiru
175 g zsiadłego mleka
sok z 1 cytryny
pieprz
szczypta cukru
4 kromki chrupkiego
  pieczywa
4 łyżeczki masła

Przyrządzanie:
1. Szparagi ugotować w osolonej wodzie. Mięso z indyka pokroić w cienkie paseczki.
2. Truskawki umyć, oczyścić, podzielić na połówki.
3. Rukolę lub inną sałatę oczyścić, umyć, porwać na kawałki.
4. Szparagi odcedzić (wywar zachować, nadaje się na zupę), pokroić na ka-

wałki. Wymieszać z mięsem, truskawkami i rukolą. Składniki sałatki przełożyć na 4 talerze.
5. Z kefiru, zsiadłego mleka, soku z cytryny i przypraw przygotować sos. Polać nim sałatkę.
6. Chrupkie pieczywo posmarować masłem, podawać z sałatką.

Białko	Tłuszcz	Węglowodany	Kcal/kJ
31 g	3 g	44 g	355/1485

Bogate w składniki mineralne szparagi są tak niskokaloryczne jak żadne inne warzywo. Ponadto zawierają roślinne materiały balastowe, jak również witaminy pobudzające funkcje nerek.

Sałatka drobiowa z grejpfrutem

Przyrządzanie:
1. Mięso i grejpfruta pokroić w kostkę. Marchewki i cukinię oczyścić, zetrzeć na tarce.
2. Jogurt wymieszać z curry, kolendrą, kminkiem, tymiankiem, solą i sokiem z cytryny. Połą-

czyć z mięsem i kostkami grejpfruta, dodać marchewkę i cukinię. Całość wymieszać.
3. Umyte liście sałaty ułożyć na talerzach, umieścić na nich sałatkę.

Białko	Tłuszcz	Węglowodany	Kcal/kJ
31 g	3 g	44 g	352/1478

Składniki
200 g piersi drobiowej
  (grillowanej i bez skóry)
1 czerwony grejpfrut
50 g zielonej sałaty
200 g marchewki
1 mała cukinia
150 g jogurtu (1,5 %)
curry w proszku
kolendra, kminek
tymianek
sól, sok z cytryny

Składniki

4 parówki
100 g żółtego sera gouda
2 ogórki konserwowe
2 pomidory
2 dymki
1 pęczek natki pietruszki
3 jajka ugotowane na
  twardo
4 łyżki octu ziołowego
1 łyżka łagodnej
  musztardy
1 łyżka słodkiej
  musztardy
6 łyżek oleju
sól
świeżo zmielony pieprz
cukier

Zamiast parówek
możemy
wykorzystać inne
rodzaje kiełbasy.

Sałatka z parówkami

Przyrządzanie:
1. Parówki pokroić w cienkie plasterki, ser w paski. Ogórki konserwowe pokroić w plasterki, pomidory podzielić na ósemki.
2. Oczyszczone i umyte dymki pokroić w cienkie krążki.

3. Natkę pietruszki i jajka na twardo drobno posiekać.
4. Ocet połączyć z musztardą, olejem, solą, pieprzem i cukrem. Sosem polać sałatkę, ostrożnie wymieszać, podawać.

Białko	Tłuszcz	Węglowodany	Kcal/kJ
15 g	33 g	3 g	374/1571

Składniki

250–300 g gotowanej
  chudej wołowiny
1 mała puszka
  zielonej fasoli
1 cebula
1 pęczek natki
  pietruszki
1 łyżka kaparów
100–125 g majonezu
1–2 łyżki jogurtu
1 łyżka sosu chili

Sałatka z wołowiną

Przyrządzanie:
1. Mięso pokroić w cienkie plasterki.
2. Fasolę osączyć, cebulę posiekać, natkę pietruszki opłukać, osuszyć, również posiekać. Przygotowane składniki wymieszać, dodać kapary.

3. Z pozostałych składników przygotować marynatę, polać nią sałatkę.
4. Danie wstawić do lodówki na kilkanaście minut.

Białko	Tłuszcz	Węglowodany	Kcal/kJ
18 g	16 g	6 g	244/1026

Sałatka z kiełbasą

Przyrządzanie:

1. Z kiełbasy zdjąć skórkę, miąższ pokroić w plasterki.

2. Fasolkę oczyścić, gotować 15 minut w lekko osolonej wodzie. Odcedzić, osączyć, pokroić na kawałki.

3. Cukinie umyć, pokroić wzdłuż w cienkie plasterki.

4. Strąk papryki oczyścić, opłukać, pokroić w drobną kosteczkę. Kukurydzę osączyć.

5. Warzywa przemieszać z kiełbasą.

6. Składniki na sos wymieszać.

7. Sałatę fryzyjską umyć, osuszyć, ułożyć na półmisku, umieścić na niej kiełbasę i warzywa. Polać sosem, posypać posiekanym szczypiorkiem.

Białko	Tłuszcz	Węglowodany	Kcal/kJ
20 g	37 g	16 g	498/2091

Składniki
500 g kiełbasy
200 g zielonej fasolki
sól
2 cukinie (200 g)
1 strąk czerwonej papryki
1/2 puszki kukurydzy
1 mała główka sałaty
  fryzyjskiej
1 pęczek szczypiorku
Sos:
po 3 łyżeczki
  musztardy, octu i oleju
ewentualnie sól, pieprz
  i cukier

Zielona fasola musi być twarda, bez brązowych przebarwień.
W lodówce można ją przechowywać najwyżej 2 dni.
W żadnym wypadku nie wolno spożywać jej na surowo, ponieważ zawiera trującą substancję o nazwie fazyna, która ulega zniszczeniu w wyniku gotowania.

Składniki
600 g kiełbasy
2 duże cebule
4 łyżki octu winnego
z białego wina
6 łyżek oleju
sól, pieprz
kilka gałązek świeżej
natki pietruszki

Sałatka bawarska

Przyrządzanie:
1. Kiełbasę obrać ze skórki, pokroić w cieniutkie plasterki.
2. Cebule obrać, pokroić w krążki.
3. Z octu, oleju, soli, pieprzu i 1–2 łyżek wody przygotować sos. Wszystkie składniki z wyjątkiem natki

pietruszki wymieszać, odstawić na 30 minut.
4. Natkę pietruszki opłukać, osuszyć. Listki oderwać od gałązek, posiekać, posypać sałatkę.

Białko	Tłuszcz	Węglowodany	Kcal/kJ
20 g	57 g	57 g	630/2646

Składniki
4 jabłka
po 1 strąku
czerwonej, żółtej
i zielonej papryki
1 ogórek sałatkowy
5 pomidorów
6 jajek obranych,
ugotowanych
na twardo
400 g gotowanej szynki
3 pory
500 g majonezu
250 g śmietany

Sałatka z szynką (składniki dla 5 osób)

Przyrządzanie:
1. Jabłka i strąki papryki umyć, usunąć środki z pestkami. Ogórek sałatkowy i pomidory oczyścić, umyć.
2. Wszystkie składniki z wyjątkiem porów pokroić w paseczki lub plasterki. Pory blanszować krótko w osolonej wodzie, osączyć, pokroić w krążki.
3. Przygotować sos: majonez wymieszać ze śmie-

taną i ewentualnie przyprawić solą i pieprzem.
4. Połowę składników sałatki układać w salaterce warstwami na przemian z połową sosu.
5. Pozostałą część sałatki również umieścić w salaterce, polać pozostałym sosem.

Białko	Tłuszcz	Węglowodany	Kcal/kJ
36 g	109 g	35 g	1274/5286

Składniki
500 g kiszonej kapusty
250 g kawałków
ananasa z puszki
150 g ciemnych
winogron
250 g ugotowanego
schabu
2 łyżki dżinu
5 łyżek oleju
sól, cukier

Sałatka ze schabem

Przyrządzanie:
1. Kapustę odcisnąć, pokroić.
2. Ananas osączyć, sok zachować. Winogrona umyć, podzielić na połówki, usunąć z nich pestki. Schab pokroić w cienkie paseczki.

3. Przygotować sos: olej wymieszać z 4 łyżkami soku ananasowego, przyprawić solą, cukrem i dżinem, polać sałatkę, wymieszać, odstawić na kilkanaście minut.

Białko	Tłuszcz	Węglowodany	Kcal/kJ
20 g	57 g	57 g	630/2646

Sałatki z rybami i owocami morza

Składniki

150 g ryżu
długoziarnistego
50 g zielonego groszku
1 cebula
1 główka zielonej sałaty
1 strąk żółtej papryki
250 g sera mozzarella
1 puszka tuńczyka
50 g czarnych oliwek
2 łyżki oliwy
sok z 1/2 cytryny
pieprz z młynka
sól

Składniki

kilka liści zielonej
sałaty
200 g pomidorków
koktajlowych
3 kiwi
1 czerwona cebula
1 strąk żółtej papryki
1/2 pęczka świeżej
kolendry
1/2 pęczka dymki
250 g filetów z łososia
2 łyżki soku z cytryny
1 łyżka oleju
2 łyżki soku
pomarańczowego
2 łyżki mleczka
kokosowego
1 łyżeczka oleju
sezamowego
pieprz
sól

Sałatka z tuńczykiem (zdjęcie str. 39)

Przyrządzanie:

1. Ryż gotować w 300 ml osolonej wody. Po 5 minutach gotowania dodać zielony groszek. Całość gotować jeszcze 10 minut. Odcedzić, polać bieżącą zimną wodą, dobrze osączyć na sitku.
2. Cebulę obrać, pokroić w cienkie krążki.
3. Sałatę oczyścić, umyć, porwać na kawałki.
4. Strąk papryki umyć, ostrym nożem usunąć gniazdo nasienne. Miąższ pokroić w paseczki.

5. Mozzarellę pokroić w kostkę. Tuńczyka osączyć, rozdrobnić widelcem.
6. Ryż z groszkiem przełożyć do dużej miski. Dodać kostki mozzarelli, tuńczyka, sałatę, cebulę, paprykę i oliwki. Wszystkie składniki ostrożnie wymieszać.
7. Z oliwy, soku cytrynowego, soli i pieprzu przygotować sos. Polać sałatkę.

Białko	Tłuszcz	Węglowodany	Kcal/kJ
23 g	20 g	33 g	410/1700

Sałatka z łososiem

Przyrządzanie:

1. Liście sałaty umyć, osuszyć. Pomidorki koktajlowe umyć, pokroić na połówki. Kiwi obrać, każdy owoc podzielić na pół, następnie pokroić w plasterki.
2. Cebulę obrać, pokroić w krążki. Strąk papryki podzielić na pół, usunąć gniazdo nasienne. Miąższ opłukać, pokroić w romby.
3. Kolendrę opłukać, osuszyć, listki oderwać od gałązek. Dymkę oczyścić, umyć, pokroić w cienkie krążki. Przygotowane składniki sałatki dekoracyjnie ułożyć na talerzach.

4. Filety z łososia umyć, osuszyć, pokroić w kostkę lub grube paski. Następnie skropić łyżką soku z cytryny, posolić. Mocno rozgrzać na patelni olej, smażyć na nim kawałki ryby 5–10 minut. Przełożyć na sałatkę.
5. Przygotować sos: pozostały sok z cytryny wymieszać z sokiem pomarańczowym, mleczkiem kokosowym i olejem sezamowym. Przyprawić do smaku solą i pieprzem. Skropić porcje sałatki.

Białko	Tłuszcz	Węglowodany	Kcal/kJ
25 g	12 g	29 g	346/1453

Sałatka pomidorowa z sardynkami

Przyrządzanie:
1. Pomidory umyć, pokroić w plasterki, ułożyć na 4 talerzach. Cebulę obrać, podzielić na pół, pokroić w cienkie krążki, umieścić na plasterkach pomidora. Sardynki osączyć, rozdrobnić.
2. Sos ziołowo-paprykowy wymieszać z oliwą i 3 łyżkami wody. Polać pomidory z cebulą i sardynkami.
3. Ząbek czosnku obrać, drobniutko posiekać.
4. Natkę pietruszki drobno posiekać, wymieszać z czosnkiem. Posypać sałatkę.

Białko	Tłuszcz	Węglowodany	Kcal/kJ
15 g	21 g	11 g	295/1239

Składniki
8 pomidorów
1 cebula sałatkowa
1 opakowanie sosu
  ziołowo-paprykowego
  (produkt gotowy)
3 łyżki oliwy
200 g sardynek w oleju
10 czarnych oliwek
1 ząbek czosnku
1 pęczek natki pietruszki

Sałatka Helgoland

Przyrządzanie:
1. Filety z matiasa pokroić na małe kawałki.
2. Jabłko pokroić na cząstki, cebulę i seler naciowy w cienkie krążki. Przygotowane składniki wymieszać z kaparami.
3. Kwaśną śmietanę wymieszać na gładko. Dodać cukier, sól, sok cytrynowy, musztardę i wódkę. Sos przyprawić do smaku, polać sałatkę.
4. Sałatkę odstawić w chłodne miejsce. Przełożyć z liśćmi sałaty na talerze. Podawać z chlebem posmarowanym masłem.

Białko	Tłuszcz	Węglowodany	Kcal/kJ
10 g	19 g	15 g	299/1251

Składniki
250 g filetów z matiasa
1 duże jabłko
2 średnie cebule
1 seler naciowy
1 łyżka kaparów
200 g kwaśnej śmietany
1 płaska łyżka cukru
1/2 łyżeczki soli
3 łyżki soku z cytryny
1 łyżeczka łagodnej
  musztardy
4 cl czystej wódki
liście sałaty (np. zielonej lub
cykorii) do dekoracji

Matiasy to młode śledzie. Zanim trafią do handlu, przechowuje się je w solance przez 8 tygodni. Pierwsze solone matiasy można kupić w czerwcu i właśnie te są najsmaczniejsze.

SAŁATKI Z RYBAMI I OWOCAMI MORZA

Składniki
4 filety z matiasa
325 g maślanki
200 g melona
2 pomarańcze
100 g krabów
2 łyżki soku z limonki
skórka z limonki
  pokrojona w drobne
  paseczki
melisa cytrynowa
  do dekoracji
pieprz, sól

Szczególnie dekoracyjnie będzie wyglądał koktajl z krabami, jeżeli podamy go w wydrążonych połówkach melona.

Koktajl z krabami

Przyrządzanie:
1. Filety z matiasa przełożyć do miski, wlać 200 g maślanki, odstawić na godzinę, ażeby usunąć z nich sól.
2. Z miąższu melona wyciąć kulki lub pokroić w kostkę.
3. Pomarańcze obrać, podzielić na cząstki. Następnie każdą przekroić na pół.
4. Kraby osączyć, wymieszać z melonem i pomarańczami.
5. Matiasy wyjąć z maślanki, maślankę wylać.
Rybę pokroić w paseczki o szerokości 2 centymetrów. Dodać do sałatki, wymieszać.
6. Przygotować sos: 125 g maślanki wymieszać z sokiem z limonki, przyprawić. Dodać skórkę z limonki, wymieszać.
7. Koktajl przełożyć na cztery talerze. Przed podaniem udekorować listkami melisy cytrynowej.

Białko	Tłuszcz	Węglowodany	Kcal/kJ
19 g	19 g	8 g	282/1184

Sałatka z łososiem i rukolą

Przyrządzanie:

1. Limonki sparzyć, skórkę cienko otrzeć, sok wycisnąć.
2. Łososia umyć, osuszyć, pokroić na małe kawałki. Skropić połową soku z limonki. Przyprawić solą i pieprzem. Mocno rozgrzać olej na patelni, dusić na nim kawałki łososia 5 minut na małym ogniu.
3. Rukolę oczyścić, umyć, dobrze osączyć. Awokado obrać, podzielić wzdłuż na pół, usunąć pestki. Miąższ pokroić na cienkie cząstki, skropić pozostałym sokiem z limonki. Selery naciowe oczyścić, pokroić w słupki. Pomidory podzielić na połówki, usunąć środki z pestkami. Miąższ pokroić w kostkę.
4. Łososia i pozostałe składniki sałatki przełożyć na talerze.
5. Majonez wymieszać z kwaśną gęstą śmietaną i skórką z limonki. Sos przyprawić do smaku solą i pieprzem.
6. Do sałatki dodać posiekany koperek i małą porcję sosu majonezowego. Pozostały sos podawać osobno.

Białko	Tłuszcz	Węglowodany	Kcal/kJ
32 g	37 g	8 g	502/2055

Składniki
2 limonki
500 g filetów z łososia
sól
biały pieprz
2 łyżki oleju
100 g rukoli
2 małe awokado
4 selery naciowe
2 pomidory
3 łyżki majonezu (50 %)
150 g kwaśnej gęstej
 śmietany
1 pęczek koperku
sól
pieprz

RADA

Mięso łososia jest bogate w tłuszcz, zawiera jednak głównie nienasycone kwasy tłuszczowe, które pozytywnie oddziałują na poziom cholesterolu we krwi. W mięsie tym znajduje się również znacząca ilość rozpuszczalnej w wodzie witaminy B_6.

Składniki

200 g serc palmy
(z puszki)
sok z 4 limonek
pieprz
trochę sosu tabasco
2 łyżki oleju
z orzechów włoskich
2 banany
2 kiwi
1 strąk czerwonej
papryki
300 g papai (z puszki)
8 filetów z matiasa
2 ugotowane żółtka
350 g zsiadłego mleka
otarta skórka z limonki
curry
ewentualnie ciemne
pieczywo

Sałatka z matiasem i papają

Przyrządzanie:

1. Serca palmy osączyć na sitku. Następnie umieścić w marynacie z soku z 3 limonek, pieprzu, sosu tabasco i oleju orzechowego. Odstawić na całą noc (marynatę wykorzystać do przygotowania sosu sałatkowego).

2. Następnego dnia serca palm osączyć na sitku, dwa odłożyć, pozostałe pokroić na kawałki o długości 2 cm.

3. Banany obrać, pokroić w plasterki. Kiwi obrać, pokroić na kawałki. Paprykę oczyścić, pokroić w paseczki.

4. Pokrojone kawałki serc palmy wymieszać z papają, plasterkami banana, kawałkami kiwi i paseczkami papryki. Skropić pozostałym sokiem z limonki. Na końcu dodać pokrojone filety z matiasa, wymieszać.

5. Odłożone kawałki serca palm zmiksować z ugotowanymi żółtkami. Dodać zsiadłe mleko, otartą skórkę z limonki, curry i odrobinę marynaty. Wszystkie składniki wymieszać. Przygotowanym sosem polać sałatkę.

6. Podawać z ciemnym pieczywem i schłodzonym piwem.

Białko	Tłuszcz	Węglowodany	Kcal/kJ
20 g	23 g	28 g	403/1693

Sałatka z krabami i cykorią

Przyrządzanie:
1. Cykorię pokroić.
2. Mandarynki obrać, podzielić na cząstki, wymieszać z cykorią i krabami, przełożyć do miski.
3. Oliwę połączyć z sokiem cytrynowym i koncentratem pomidorowym. Polać składniki sałatki. Doprawić do smaku solą i pieprzem.
4. Sałatkę posypać sezamem i posiekanymi ziołami.

Białko	Tłuszcz	Węglowodany	Kcal/kJ
20 g	6 g	37 g	275/1155

Składniki
200 g cykorii
2 mandarynki
150 g mięsa krabów
2 łyżeczki oliwy
2 łyżki soku z cytryny
2 łyżki koncentratu pomidorowego
sól, pieprz
2 łyżeczki ziarenek sezamu
1 łyżka posiekanych ziół
(bazylia, natka pietruszki)

Sałatka ryżowa z langustą

Przyrządzanie:
1. Ryż ugotować według przepisu na opakowaniu.
2. Langustę gotować w osolonej wodzie, skorupkę usunąć.
3. Pomarańczę obrać, podzielić na cząstki. Truskawki umyć, osuszyć, pokroić w cienkie plasterki. Seler naciowy razem z częścią zieloną pokroić na małe kawałki. Mozzarellę pokroić w paseczki.
4. Awokado podzielić wzdłuż na pół, usunąć pestkę. Z miąższu wyciąć kulki, natychmiast skropić sokiem z cytryny.
5. Wszystkie składniki sałatki przełożyć do ryżu, wymieszać, ew. przyprawić do smaku solą i pieprzem. Na końcu dodać odrobinę oleju roślinnego. Całość ponownie wymieszać.

Białko	Tłuszcz	Węglowodany	Kcal/kJ
10 g	15 g	24 g	276/1155

Składniki
100 g ryżu długoziarnistego
100 g langusty
1 pomarańcza
100 g truskawek
2 selery naciowe
250 g sera mozzarella
1 awokado
sok z 1/2 cytryny
pieprz
sól
olej roślinny

SAŁATKI Z RYBAMI I OWOCAMI MORZA

Składniki

4 filety z solonego
śledzia (250 g)
1 cebula
1 jabłko
2 selery naciowe
2 ogórki konserwowe
1 jajko ugotowane
na twardo
200 g kwaśnej śmietany
5 łyżek kwasu
chlebowego
sól, pieprz
kilka liści sałaty
1 łyżka zielonych
kaparów
czerwony pieprz
trochę rzeżuchy

Sałatka śledziowa

Przyrządzanie:

1. Filety namoczyć w wodzie. Następnie osuszyć, pokroić na kawałki.
2. Cebulę obrać, pokroić w krążki. Jabłko i selery naciowe oczyścić, Jabłko podzielić na pół, usunąć środki z pestkami, miąższ pokroić na cząstki. Seler, ogórki i jajko pokroić w plasterki.
3. Przygotować sos: kwaśną śmietanę połączyć z kwasem chlebowym. Przyprawić solą i świeżo zmielonym pieprzem.

4. Sos przemieszać z kawałkami śledzia, krążkami cebuli, cząstkami jabłka, selerem i ogórkiem, Sałatkę umieścić na wyłożonych liśćmi sałaty talerzach. Udekorować plasterkami jajka, kaparami, czerwonym pieprzem i rzeżuchą.

Białko	Tłuszcz	Węglowodany	Kcal/kJ
9 g	18 g	9 g	238/996

Zamiast filetów
z solonego śledzia
do sałatki można
dodać filety
z matiasa.

Kolorowa sałatka z tuńczykiem

Składniki
200 g tuńczyka
 (świeżego lub
 mrożonego)
sól
1/2 główki zielonej
 sałaty lub sałaty
 rzymskiej
1 duża cebula
1 strąk czerwonej papryki
200 g zsiadłego mleka
sok z 1 cytryny
2 łyżki oliwy
1 ząbek przeciśniętego
 przez praskę czosnku
pieprz

Przyrządzanie:
1. Rybę ugotować w osolonej wodzie (lub zalewie przygotowanej z białego wina, wody, soli i pieprzu).
2. Sałatę oczyścić, umyć, dobrze osączyć na sitku. Cebulę obrać, podzielić wzdłuż na pół, następnie pokroić w cienkie plasterki. Strąk papryki oczyścić, usunąć gniazdo nasienne. Miąższ opłukać, pokroić w cienkie paseczki.

3. Liście sałaty wymieszać z cebulą i papryką, przełożyć na cztery talerze.
4. Tuńczyka osączyć, podzielić na duże cząstki, dodać do sałatki.
5. Zsiadłe mleko wymieszać na gładko z sokiem cytrynowym, oliwą i czosnkiem. Przyprawić do smaku solą i pieprzem. Przygotowany sos podawać osobno.

Białko	Tłuszcz	Węglowodany	Kcal/kJ
16 g	10 g	76 g	480/2005

Sałatka nicejska

Składniki
1/2 ogórka sałatkowego
1 strąk papryki
2 pomidory
1 główka zielonej sałaty
1–2 łyżki soku z cytryny
sól, pieprz, szczypta cukru
3–4 łyżki oleju
125 g tuńczyka (z puszki)
1 łyżka kaparów
6–8 anchois
6–8 czarnych oliwek
2 jajka ugotowane na twardo

Przyrządzanie:
1. Ogórek zetrzeć na tarce. Strąk papryki oczyścić, opłukać, pokroić w paseczki.
2. Pomidory umyć, podzielić na ćwiartki. Sałatę oczyścić, umyć, osuszyć, porwać na małe kawałki.

3. Przygotowane składniki przełożyć do miski, wymieszać. Polać marynatą przygotowaną z octu, soku cytrynowego, soli, pieprzu, cukru i oleju. Dodać pozostałe składniki.

Białko	Tłuszcz	Węglowodany	Kcal/kJ
14 g	19 g	6 g	255/1070

Składniki

2 puszki kałamarnic
(po 130 g każda)
1 cebula
3 pomidory
2 małe ogórki
konserwowe
1 mały strąk zielonej
papryki
5 nadziewanych oliwek
1 puszka sardynek
w oleju
Marynata:
2 łyżki octu cytrynowego
2 łyżeczki gorącej wody
4 łyżki oliwy
sól, pieprz

Sałatka z kałamarnicami

Przyrządzanie:
1. Kałamarnice osączyć, zalewę zachować.
2. Cebulę obrać, pokroić w kosteczkę. Pomidory sparzyć, zdjąć skórkę, usunąć środki z pestkami. Miąższ pomidorów, ogórki i paprykę pokroić w paseczki. Oliwki pokroić w cienkie krążki.
3. Sardynki wyjąć z puszki, olej zachować.

4. Kałamarnice i sardynki rozdrobnić, wymieszać z pozostałymi składnikami sałatki. Przełożyć do szklanych miseczek.
5. Przygotować sos: ocet cytrynowy połączyć z zalewą z kałamarnic, olejem z sardynek, solą, pieprzem, 2 łyżkami gorącej wody i oliwą. Polać sałatkę.

Białko	Tłuszcz	Węglowodany	Kcal/kJ
24 g	20 g	5 g	296/1243

Składniki

500 g krewetek
(mrożonych)
500 g brokułów
1/8 litra białego wina
2 ząbki czosnku
1 listek laurowy
2 gałązki tymianku
1 cytryna
1 duży pomidor
125 g śmietany
1 łyżka octu
malinowego
trochę sosu worcester
tarta gałka
muszkatołowa
biały pieprz
sól

Sałatka z krewetkami

Przyrządzanie:
1. Krewetki rozmrozić w skorupkach. Brokuły oczyścić, podzielić na różyczki. Tymianek opłukać, pokroić.
2. Osoloną wodę przyprawić tartą gałką muszkatołową, zagotować. Do wrzątku włożyć brokuły, gotować 8 min na średnim ogniu. Przełożyć na sitko, zanurzyć na chwilę w bardzo zimnej wodzie, osączyć.
3. Białe wino zagotować z obranymi pokrojonymi na połówki ząbkami czosnku, listkiem laurowym i tymiankiem.
4. Do przygotowanej zalewy włożyć krewetki, pod-

grzewać 10 minut na średnim ogniu (nie gotować).
5. Cytrynę sparzyć, osuszyć, pokroić w plasterki. Pomidor oczyścić, pokroić na ćwiartki.
6. Krewetki osączyć, skorupki i przewód pokarmowy usunąć. Na półmisku ułożyć krewetki, brokuły, pomidory i plasterki cytryny.
7. Śmietanę ubić na półsztywno. Dodać ocet i 1 łyżkę przecedzonej przez drobne sitko zalewy, w której podgrzewane były krewetki. Sos przyprawić sosem worcester, solą i pieprzem. Polać sałatkę.

Białko	Tłuszcz	Węglowodany	Kcal/kJ
27 g	12 g	12 g	286/1201

Sałatki
warzywne

Składniki

800 g ziemniaków
o związłym miąższu
1 pęczek rukoli
1/2 ogórka
sałatkowego
1/2 pęczka rzodkiewek
4 łyżki octu
5 łyżek oleju
1 łyżeczka łagodnej
musztardy
sól, pieprz
2 łyżki posiekanego
szczypiorku
50 g tartego
parmezanu

Sałatka ziemniaczana z parmezanem (zdjęcie str. 49)

Przyrządzanie:
1. Ziemniaki umyć, ugotować w mundurkach.
2. Rukolę oczyścić, opłukać i osączyć. Ogórek pokroić w słupki, rzodkiewki pokroić w cienkie plasterki. Ziemniaki odcedzić, obrać, również pokroić w plasterki. Przełożyć do miski.
3. Olej wymieszać z octem i musztardą, przyprawić na

pikantnie solą i pieprzem. Przygotowany sos przełożyć ze szczypiorkiem, listkami rukoli, rzodkiewką i ogórkiem do ziemniaków. Ostrożnie wymieszać wszystkie składniki. Odstawić na kilka minut w chłodne miejsce. Posypać parmezanem.

Białko	Tłuszcz	Węglowodany	Kcal/kJ
9 g	16 g	31 g	315/1318

Składniki

1 bakłażan
1 pęczek rukoli
1 strąk papryczki chili
2 łyżki oliwy
1 łyżka kaparów
4 łyżki soku z cytryny
pieprz, sól

Sałatka z bakłażanem i rukolą

Przyrządzanie:
1. Bakłażan umyć, pokroić w kostkę. Rukolę opłukać, osuszyć, porwać na małe kawałki. Papryczkę chili pokroić w cienkie krążki.
2. Mocno rozgrzać 1 łyżkę oliwy, podsmażyć na niej bakłażan i chili, dodać 2 łyżki wody. Warzywa dusić do miękkości około 10 minut.

Zdjąć z patelni, wymieszać z rukolą i kaparami.
3. Sok z cytryny połączyć z pieprzem, solą i pozostałą oliwą. Przygotowanym sosem skropić sałatkę. Odstawić na 30 minut w chłodne miejsce.

Białko	Tłuszcz	Węglowodany	Kcal/kJ
3 g	12 g	7 g	140/588

Składniki

1,5 kg szparagów
sól
szczypta cukru
1 łyżka posiekanego
szczypiorku
sos winegret
(przepis str. 79)

Sałatka ze szparagami

Przyrządzanie:
1. Szparagi obrać, odkroić zdrewniałe końcówki. Pędy pokroić na kawałki ok. 5 cm.
2. Wodę zagotować z solą i z cukrem. Do wrzątku włożyć szparagi. Gotować

15–20 minut pod przykryciem. Odcedzić, osączyć, przełożyć do miski, połączyć z sosem winegret. Posypać szczypiorkiem.

Białko	Tłuszcz	Węglowodany	Kcal/kJ
8 g	11 g	10 g	167/702

Sałatka z brokułami

Przyrządzanie:
1. Brokuły oczyścić, umyć, podzielić na małe różyczki. Przełożyć do osolonego wrzątku, gotować 8 minut na małym ogniu. Odcedzić, polać zimną wodą, dobrze osączyć. Cebulę obrać, posiekać, przełożyć z brokułami do miski.

2. Pozostałe składniki, z wyjątkiem jajka, wymieszać na gładko, posolić, przełożyć do sałatki.
3. Jajko posiekać, posypać gotowe danie.

Białko	Tłuszcz	Węglowodany	Kcal/kJ
7 g	9 g	4 g	128/536

Składniki
600 g brokułów
sól
1/2 cebuli
3 łyżki soku z cytryny
1 jajko ugotowane
na twardo
szczypta cukru
pieprz
3 łyżki oleju

Sałatka z marchewką i fasolą

Przyrządzanie:
1. Czosnek obrać, posiekać. Wymieszać z jogurtem, solą, pieprzem i musztardą, dodać posiekaną zieleninę.
2. Marchewki i fasolkę osączyć na sitku.
3. Sałatę opłukać, osuszyć, porwać na kawałki.

4. Przygotowane składniki przełożyć na talerze. Polać sosem jogurtowym. Podawać z krążkami ryżowymi.

Białko	Tłuszcz	Węglowodany	Kcal/kJ
9 g	4 g	30 g	200/830

Składniki
1 ząbek czosnku
150 g jogurtu
biały pieprz z młynka
1/2 łyżeczki musztardy
trochę świeżych ziół
(np. bazylii, natki
pietruszki, koperku)
1 puszka mini-marchewek (212 ml)
1 puszka zielonej fasoli
(425 ml)
50 g sałaty roszponki
4–6 krążków ryżowych
sól

Sałatka będzie bardziej aromatyczna, jeżeli posypiemy ją prażonymi pestkami dyni. Pestki dyni prażymy w bardzo małej ilości tłuszczu lub na suchej patelni.

Składniki

750 g ziemniaków
1 duża cebula
1 mały ogórek
  sałatkowy
2 pomidory
1 pęczek natki
  pietruszki
1/4 litra gorącego
  rosołu mięsnego
  (instant)
1 łyżka pikantnej
  musztardy
4 łyżki octu
szczypta cukru
6 łyżek oleju
2 jajka ugotowane
  na twardo
pieprz, sól

Składniki

300 g szparagów
  (z puszki)
1 mała bulwa selera
250 g ziemniaków
2 banany, 4 pomidory
1 łyżka posiekanej
  rzeżuchy
1 łyżeczka
  posiekanego koperku
60 g majonezu
150 g jogurtu
200 g śmietany
sok z 1 cytryny
sól, biały pieprz
szczypta cukru
1 gałązka natki pietruszki

W sezonie szparagi
z puszki zastępujemy
świeżymi,
ugotowanymi.

Pikantna sałatka ziemniaczana

Przyrządzanie:

1. Ziemniaki ugotować w mundurkach, odcedzić, osączyć, przestudzić. Następnie obrać, pokroić w plasterki.
2. Cebulę obrać, pokroić w drobną kosteczkę, przełożyć do ziemniaków. Całość posolić.
3. Ogórek umyć, pokroić w plasterki.
4. Pomidory umyć, drobno pokroić.
5. Natkę pietruszki opłukać, osuszyć, drobno posiekać. Przygotowane składniki przełożyć do miski, wymieszać.
6. Rosół połączyć z musztardą, octem, cukrem, odrobiną soli, pieprzem i olejem. Przygotowanym sosem polać sałatkę ziemniaczaną, ostrożnie wymieszać.
7. Jajka obrać, pokroić w ósemki. Udekorować nimi sałatkę.

Białko	Tłuszcz	Węglowodany	Kcal/kJ
8 g	22 g	33 g	356/1526

Sałatka Duchesse

Przyrządzanie:

1. Szparagi przełożyć na sitko, dobrze osączyć. Seler i ziemniaki umyć, gotować osobno 15–20 minut w osolonej wodzie. Warzywa odcedzić, osączyć, obrać, pokroić w plasterki.
2. Banany obrać, pokroić w plasterki. Pomidory umyć, usunąć szypułki, miąższ pokroić w paseczki.
3. Składniki sałatki przełożyć do miski, ostrożnie wymieszać, posypać rzeżuchą i koperkiem.
4. Przygotować marynatę: majonez wymieszać z jogurtem i śmietaną. Przyprawić sokiem z cytryny, solą, pieprzem i cukrem. Sosem polać sałatkę.
5. Natkę pietruszki opłukać, osuszyć, udekorować sałatkę. Przed podaniem wstawić na 10 minut do lodówki.

Białko	Tłuszcz	Węglowodany	Kcal/kJ
8 g	23 g	38 g	404/1699

Sałatka z fasolką i orzeszkami piniowymi

Przyrządzanie:

1. Fasolę oczyścić, umyć, pokroić na kawałki. Gotować 15 minut z cząbrem w 250 ml wody. Odcedzić, dobrze osączyć na sitku.
2. Cebulę obrać, pokroić na cząstki, wymieszać z cebulą.
3. Orzeszki piniowe zrumienić na suchej patelni.

4. Ocet przyprawić pieprzem, solą, dodać olej, wymieszać. Polać sałatkę, odstawić na kilka minut w chłodne miejsce.
5. Przed podaniem sałatkę posypać orzeszkami piniowymi.

Składniki
300 g zielonej fasoli
1 gałązka cząbru
1 czerwona cebula
2 łyżki orzeszków
  piniowych
4 łyżki octu winnego
  z białego wina
pieprz
sól
2 łyżki oleju z pestek dyni

Białko	Tłuszcz	Węglowodany	Kcal/kJ
3 g	13 g	9 g	168/707

Składniki

250 g brokułów
250 g zielonych
  szparagów
50 g groszku
  cukrowego
1 pomidor
1/2 pęczka trybuli lub
  natki pietruszki
1 łyżka płatków migdałów
1 1/2 łyżki octu
  malinowego
2 1/2 łyżki oliwy
1 szalotka
grubo zmielony czerwony
  lub zielony pieprz
sól

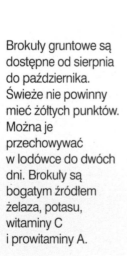

Brokuły gruntowe są
dostępne od sierpnia
do października.
Świeże nie powinny
mieć żółtych punktów.
Można je
przechowywać
w lodówce do dwóch
dni. Brokuły są
bogatym źródłem
żelaza, potasu,
witaminy C
i prowitaminy A.

Sałatka ze szparagami i brokułami

Przyrządzanie:

1. Brokuły oczyścić, umyć, podzielić na różyczki. Szparagi umyć, usunąć zdrewniałe końcówki.
2. Groszek cukrowy oczyścić, opłukać.
3. Przygotowane warzywa blanszować 5 minut w osolonym wrzątku, natychmiast zalać bardzo zimną wodą, dobrze osączyć.
4. Pomidor umyć, podzielić na ćwiartki, usunąć środek z pestkami, miąższ pokroić w kostkę.
5. Trybulę lub natkę pietruszki opłukać, osuszyć, listki oderwać od gałązek.

6. Płatki migdałów zrumienić na suchej patelni.
7. Przygotować sos: ocet malinowy wymieszać z oliwą.
8. Szalotkę pokroić w kostkę, przełożyć do sosu, przyprawić solą i pieprzem.
9. Wystudzone warzywa ułożyć na półmisku, posypać kostkami pomidora, polać przygotowanym sosem. Przed podaniem udekorować listkami trybuli i płatkami migdałów.

Białko	Tłuszcz	Węglowodany	Kcal/kJ
9 g	15 g	11 g	218/3196

Sałatka z kalafiorem

Przyrządzanie:
1. Kalafior oczyścić, podzielić na małe różyczki, umyć w zimnej wodzie.
2. Zagotować w rondlu osoloną wodę, dodać sok z cytryny. Do wrzątku włożyć kalafior, ugotować. Odcedzić i osączyć.

3. Przygotować sos winegret, dodać trochę wywaru z gotowania kalafiora. Polać różyczki kalafiora, odstawić na kilka minut w chłodne miejsce. Przed podaniem posypać natką pietruszki.

Białko	Tłuszcz	Węglowodany	Kcal/kJ
4 g	11 g	5 g	135/569

Składniki
1 kalafior
sól
sok z 1 cytryny
sos winegret
  (przepis str. 79)
2 łyżki posiekanej natki
  pietruszki

Sałatka z białą fasolą

Przyrządzanie:
1. Fasolę przełożyć na sitko, opłukać zimną wodą, dobrze osączyć.
2. Oliwę wymieszać z solą i pieprzem, przełożyć do fasoli, wymieszać.
3. Pomidory umyć, pokroić w kosteczkę.

4. Cebulę obrać i pokroić.
5. Natkę pietruszki opłukać, drobniutko posiekać.
6. Wszystkie składniki przełożyć do fasoli, dokładnie wymieszać, odstawić na 1–2 godziny w chłodne miejsce.

Białko	Tłuszcz	Węglowodany	Kcal/kJ
10 g	13 g	22 g	240/1006

Składniki
1 duża puszka białej
  fasoli
2 pomidory
1 czerwona cebula
1/2 pęczka natki pietruszki
sól
pieprz
3 łyżki oliwy

SAŁATKI WARZYWNE

55

Składniki
800 g ziemniaków
  o zwięzłym miąższu
100 g rukoli
1/8 litra rosołu
  drobiowego
  (produkt gotowy)
6 łyżek oleju
  słonecznikowego
4 łyżki octu winnego
  z białego wina
sól
biały pieprz
cukier
1 pęczek rzodkiewek
4 jajka ugotowane
  na twardo

Sałatka ziemniaczana z rukolą i jajkiem

Przyrządzanie:
1. Ziemniaki umyć, zależnie od wielkości gotować 10–15 minut w szybkowarze. Obrać, pokroić w plasterki.
2. Rukolę oczyścić, umyć. 75 g rukoli zmiksować w gorącym rosole. Dodać olej słonecznikowy i ocet winny, wymieszać. Sos przyprawić do smaku.
3. Gorące plasterki ziemniaków polać przygotowanym sosem, wymieszać.

Odstawić na około 60 minut w chłodne miejsce.
4. Rzodkiewki oczyścić, umyć, pokroić w słupki.
5. Jajka obrać, pokroić w szóstki, przekroić je jeszcze na pół.
6. Słupki rzodkiewek, jajka i pozostałe listki rukoli wymieszać z ziemniakami. Natychmiast podawać.
7. Sałatka doskonale smakuje z grillowanym mięsem.

Białko	Tłuszcz	Węglowodany	Kcal/kJ
11 g	39 g	33 g	443/1857

Sałatka szparagowa z orzechami i pomidorami

Przyrządzanie:

1. Szparagi dobrze osączyć na sitku, pokroić na kawałki.
2. Świeże szparagi umyć, obrać, odkroić zdrewniałe końcówki.
3. Wodę posolić, zagotować. Do wrzątku włożyć masło i szparagi, gotować 20 minut.
4. Sałatę oczyścić, umyć, porwać na małe kawałki.
5. Pomidory umyć, podzielić na połówki, usunąć środki z pestkami. Miąższ pokroić w kostkę.
6. Orzechy włoskie posiekać.
7. Przygotować sos: sok z cytryny połączyć z oliwą, solą i pieprzem. Dodać kostki pomidora i orzechy.
8. Salaterkę wyłożyć liśćmi sałaty, umieścić na nich szparagi. Polać sosem.

Składniki

2 słoiki szparagów (po 580 ml każdy) lub 600 g świeżych szparagów
10 g masła
1/2 główki zielonej sałaty
2 pomidory
2 łyżki orzechów włoskich
2 łyżki soku z cytryny
4 łyżki oliwy
pieprz
sól

Białko	Tłuszcz	Węglowodany	Kcal/kJ
3 g	12 g	7 g	173/727

RADA

Sezon na szparagi trwa od początku maja do 24 czerwca. Szparagi zawierają dużą ilość składników balastowych, witaminy C, kwasu foliowego, żelaza, niacyny i jodu.

Składniki

1 cukinia
4 pomidory
5 łyżek oliwy
250 g sera mozzarella
1 ząbek czosnku
sok z 1 cytryny
sól
czarny pieprz z młynka
2 łyżki posiekanych
  mieszanych ziół

Sałatka z cukinią i pomidorem

Przyrządzanie:
1. Cukinię i pomidory umyć, oczyścić. Cukinię pokroić w cienkie plasterki, dusić krótko z obu stron na 2 łyżkach oliwy. Zdjąć z patelni, wystudzić. Pomidory i mozzarellę pokroić w plasterki.
2. Plasterki cukinii, pomidora i mozzarelli układać warstwami w salaterce.

Czosnek obrać, drobno posiekać.
3. Oliwę wymieszać z sokiem z cytryny, solą, pieprzem, czosnkiem i ziołami. Przygotowanym sosem winegret polać sałatkę. Odstawić na kilka minut w chłodne miejsce.

Białko	Tłuszcz	Węglowodany	Kcal/kJ
30 g	37 g	6 g	470/1970

Składniki

125 g ziarenek
  kukurydzy (z puszki)
75 g czerwonej
  papryki
125 g ananasa
1 łyżka soku z cytryny
3 łyżki oleju
  słonecznikowego
sól, pieprz

Sałatka z papryką i kukurydzą

Przyrządzanie:
1. Kukurydzę osączyć. Paprykę oczyścić, pokroić w drobną kostkę. Ananas również pokroić w kosteczkę, wymieszać z kukurydzą i papryką. Przełożyć do miski.

2. Sok z cytryny wymieszać z olejem, solą i pieprzem. Sosem polać sałatkę, wymieszać.

Białko	Tłuszcz	Węglowodany	Kcal/kJ
2 g	16 g	20 g	238/1000

Sałatka z karczochami

Przyrządzanie:
1. Karczochy oczyścić, odkroić końcówki liści. Karczochy gotować 35 minut w osolonej wodzie. Liście oderwać, wyjąć jadalną dolną część. Pomidory umyć, oczyścić, pokroić w ósemki.
2. Strąk papryki przekroić wzdłuż na pół, usunąć gniazdo nasienne. Miąższ opłukać, osuszyć, pokroić w kostkę. Ząbek czosnku obrać, rozetrzeć z odrobiną soli. Warzywa z czosn-

kiem przełożyć do miski. Przyprawić do smaku pieprzem.
3. Oliwę wymieszać z octem i cukrem. Polać sałatkę. Całość dokładnie wymieszać, odstawić na kilka minut w chłodne miejsce. Posypać natką pietruszki.

Białko	Tłuszcz	Węglowodany	Kcal/kJ
8 g	10 g	12 g	180/758

Składniki
6 świeżych karczochów
2 pomidory
1 strąk żółtej papryki
1 ząbek czosnku
pieprz z młynka
4 łyżki oliwy
2 łyżki octu winnego
z białego wina
szczypta cukru, sól
2 łyżki posiekanej natki
pietruszki

RADA

Przygotowując pomidory, pamiętajmy zawsze o tym, aby dokładnie wykroić zielone miejsce po szypułce, ponieważ zawiera ono roślinną substancję trującą: solaninę.

Sałatka z bakłażanem i papryką

Przyrządzanie:
1. Bakłażany i strąki papryki przekroić wzdłuż na pół. Z połówek papryki usunąć gniazda nasienne. Warzywa umieścić na posmarowanej olejem blasze. Wsunąć na 15 minut do piekarnika rozgrzanego do temperatury 250°C (aż warzywa wyraźnie ściemnieją).
2. Połówki bakłażana i papryki przykryć wilgotną ściereczką, przestudzić. Zdjąć skórkę. Miąższ pokroić w cienkie paseczki.

3. Papryczkę pepperoni umyć, przekroić wzdłuż na pół, usunąć gniazdo nasienne. Miąższ pokroić w kostkę.
4. Ząbek czosnku obrać, zgnieść, przełożyć z papryczką pepperoni do warzyw.
5. Mieszankę na sos ziołowo-paprykowy wymieszać z 3 łyżkami wody i oliwą, przełożyć do sałatki.
6. Gotową sałatkę odstawić na 30 minut w chłodne miejsce.

Białko	Tłuszcz	Węglowodany	Kcal/kJ
4 g	12 g	11 g	180/755

Składniki
500 g bakłażanów
2 strąki żółtej papryki
olej
1 mała papryczka
pepperoni
1 ząbek czosnku
1 opakowanie gotowej
mieszanki na sos
ziołowo-paprykowy
3 łyżki oliwy

Składniki
400 g małych
ziemniaków
2 jajka
400 ml rosołu
warzywnego (instant)
2 puszki groszku
z marchewką
(po 212 ml)
1 łyżeczka musztardy
150 g jogurtu
4 łyżki kwaśnej śmietany
trochę natki pietruszki
kilka liści sałaty
sól
czarny pieprz

Na sałatkę
ziemniaczaną
najlepiej nadają się
gatunki ziemniaków
o zwięzłym miąższu,
np. Siegelinge,
Hansa, Nicola. Im
większa zawartość
skrobi w bulwach,
tym bardziej są one
mączne. Ziemniaki
oprócz skrobi
zawierają
wysokowartościowe
białko oraz
witaminę C, B₁ i potas.

Sałatka ziemniaczana z groszkiem i marchewką

Przyrządzanie:
1. Ziemniaki dokładnie umyć, najlepiej wyszorować miękką szczoteczką, gotować w mundurkach 15 minut w osolonej wodzie.
2. Jajka ugotować na twardo. Ziemniaki odcedzić, osączyć i obrać. Pokroić na ćwiartki lub w plasterki.
3. Rosół podgrzać, polać ziemniaki. Przyprawić solą, pieprzem i musztardą. Odstawić na 30 minut w chłodne miejsce.
4. Jogurt połączyć z kwaśną śmietaną. Przyprawić do smaku solą i pieprzem.
5. Natkę pietruszki opłukać, osuszyć, drobno posiekać, wrzucić do sosu jogurtowego. Polać ziemniaki.
6. Sałatę oczyścić, umyć, osączyć, porwać na małe kawałki. Marchewkę z groszkiem osączyć na sitku, przełożyć z sałatą do ziemniaków. Jajka obrać, pokroić na cząstki, umieścić na sałatce.

Białko	Tłuszcz	Węglowodany	Kcal/kJ
14 g	15 g	44 g	386/1621

Sałatka szpinakowa

Przyrządzanie:
1. Szpinak oczyścić, z liści usunąć zgrubienia, dokładnie umyć, liście gotować minutę w dużej ilości osolonej wody.
2. Szpinak odcedzić, polać zimną wodą, dobrze osączyć. Pokroić na duże kawałki. Szpinak mrożony przygotować według przepisu na opakowaniu.
3. Ziarenka sezamu zrumienić na suchej patelni, nie przerywając mieszania.
4. Ser brie pokroić w kostkę. Brzoskwinie umyć, podzielić na połówki, usunąć z nich pestki.
5. Owoce pokroić na cząstki, skropić odrobiną soku z cytryny.

6. Pozostały sok z cytryny przyprawić pieprzem i tartą gałką muszkatołową. Dodać olej rzepakowy i słonecznikowy, wymieszać. Przyprawić na pikantnie.
7. Szpinak, ser brie, ziarenka sezamu i brzoskwinie wymieszać z przygotowanym sosem. Sałatkę przełożyć na cztery talerze.
8. Gotowe danie podawać z białym pieczywem.

Składniki
500 g świeżego szpinaku
  (lub 450 g mrożonego)
2 łyżki ziarenek sezamu
200 g sera brie
2 brzoskwinie
3 łyżki soku z cytryny
tarta gałka muszkatołowa
4 łyżki oleju rzepakowego
4 łyżki oleju
  słonecznikowego
pieprz, sól

Białko	Tłuszcz	Węglowodany	Kcal/kJ
14 g	36 g	6 g	400/1680

RADA

Szpinak należy przygotować możliwie bezpośrednio po zakupie. Liście powinny być kruche. Szpinak jest bogaty w prowitaminę A, witaminę B6, kwas foliowy, jak również w żelazo, potas i magnez. Podczas podgrzewania ze szpinaku wydobywają się duże ilości szkodliwej substancji o nazwie nitrit. Dlatego, szczególnie małym dzieciom, należy podawać szpinak świeżo ugotowany.

SAŁATKI WARZYWNE

Składniki

1 kg ziemniaków
1/8 litra rosołu
mięsnego (instant)
3 łyżki oleju
4 łyżki octu winnego
z białego wina
sól
pieprz
szczypta cukru
1 łyżka musztardy

Łatwa sałatka ziemniaczana

Przyrządzanie:
1. Ziemniaki wyszorować miękką ściereczką pod bieżącą wodą. Gotować 30 minut w mundurkach w osolonej wodzie. Odcedzić, osączyć, obrać, odłożyć do zupełnego wystygnięcia. Następnie pokroić w cienkie plas-

terki. Polać gorącym rosołem.
2. Przygotować sos: olej wymieszać z octem, solą, pieprzem, szczyptą cukru i musztardą. Polać ziemniaki, odstawić na godzinę w chłodne miejsce.

Białko	Tłuszcz	Węglowodany	Kcal/kJ
3 g	5 g	25 g	161/675

Składniki

1 kg buraków
1/2 łyżeczki kminku
trochę tartego chrzanu
6 łyżek octu
1 drobno pokrojona
mała cebula
sól
pieprz
szczypta cukru
2 łyżki oleju

Sałatka z burakami

Przyrządzanie:
1. Buraki umyć, uważając, aby nie uszkodzić skórki. Umieścić w garnku, najlepiej z wkładką do gotowania na parze, ugotować. Zalać zimną wodą, obrać, pokroić w plasterki.
2. Do buraków dodać kminek i chrzan.

3. Z 1/4 litra wody i pozostałych składników przygotować marynatę. Polać gorące buraki, przyprawić do smaku, odstawić w chłodne miejsce.

Białko	Tłuszcz	Węglowodany	Kcal/kJ
4 g	5 g	23 g	155/649

Składniki

1 duża bulwa selera
sos winegret
(przepis str. 79)

Sałatka z selerem

Przyrządzanie:
1. Seler umyć, obrać, przełożyć do garnka z wkładką do gotowania na parze, ugotować. Wyjąć, natychmiast polać zimną wodą.

2. Gorący seler pokroić w plasterki, polać sosem winegret, odstawić do wystygnięcia.

Białko	Tłuszcz	Węglowodany	Kcal/kJ
4 g	11 g	5 g	135/569

Sałatki makaronowe i ryżowe

Składniki

150 g makaronu
rurek
1 łyżeczka oleju
100 g gotowanej szynki
125 g sera mozzarella
100 g pomidorków
koktajlowych
1 awokado
1 cytryna
1 ząbek czosnku
2 łyżki oleju
sól
pieprz
2 gałązki posiekanej
natki pietruszki

Kolorowa sałatka makaronowa (zdjęcie str. 63)

Przyrządzanie:

1. Makaron ugotować *al dente* w osolonym wrzątku z dodatkiem łyżeczki oleju. Odcedzić, przelać zimną wodą, osączyć, wystudzić.
2. Szynkę pokroić w paseczki, mozzarellę i pomidory w cienkie plasterki.
3. Awokado podzielić wzdłuż na pół, usunąć pestkę. Wykroić łyżką z miąższu małe kuleczki. Natychmiast skropić sokiem z połówki cytryny.

4. Czosnek obrać, drobno posiekać, wymieszać z pozostałym olejem i sokiem z połowy z cytryny. Sos przyprawić solą i pieprzem.
5. Przygotowane składniki sałatki przełożyć z sosem do makaronu. Wymieszać, odstawić w chłodne miejsce.
6. Na cztery talerzyki przełożyć porcję sałatki. Posypać natką pietruszki.

Białko	Tłuszcz	Węglowodany	Kcal/kJ
19 g	17 g	29 g	347/1450

Składniki

250 g ryżu
długoziarnistego
2 małe cukinie
250 g mrożonych
mieszanych owoców
morza
100 g krabów (świeżych
lub mrożonych)
1 duży pomidor
175 g zsiadłego mleka
4 łyżki kefiru
sok z 1 cytryny
2 łyżki oleju z pestek
winogron
1 ząbek czosnku
posiekany świeży
estragon
posiekana świeża
szałwia
pieprz, sól

Włoska sałatka ryżowa z owocami morza

Przyrządzanie:

1. Ryż ugotować. Odcedzić, dobrze osączyć.
2. Cukinie umyć, blanszować kilka minut w osolonym wrzątku. Pokroić wzdłuż na ćwiartki, wystudzić.
3. Owoce morza i kraby przełożyć do osolonego wrzątku, krótko gotować na bardzo małym ogniu.
4. Ćwiartki cukini pokroić w plasterki, wymieszać z ryżem.
5. Owoce morza ew. pokroić, dodać z krabami do ryżu.

6. Pomidor pokroić w drobną kostkę, wrzucić do sałatki.
7. Zsiadłe mleko wymieszać z kefirem, sokiem cytrynowym i olejem z pestek winogron. Dodać przeciśnięty przez praskę ząbek czosnku i zioła. Przyprawić pieprzem i solą.
8. Przygotowanym sosem polać sałatkę, wymieszać, odstawić na kilka minut z chłodne miejsce.

Białko	Tłuszcz	Węglowodany	Kcal/kJ
23 g	12 g	53 g	416/1746

Sałatka makaronowa z salami

Przyrządzanie:

1. Makaron ugotować *al dente* w osolonej wodzie. Odcedzić, osączyć i wystudzić.
2. Cukinię umyć, pokroić w plasterki. Pomidory umyć, podzielić na połówki, usunąć szypułki.
3. Mozzarellę osączyć, pokroić w plasterki. Cebulę obrać, pokroić na cząstki.
4. Zioła opłukać, osuszyć, drobno posiekać.
5. Z octu, soli, pieprzu i oleju przygotować sos winegret. Na końcu wrzucić zioła, wymieszać.
6. Makaron wymieszać z cukinią, pomidorami, mozzarellą, cebulą, salami i kaparami. Polać przygotowanym sosem winegret. Ponownie wymieszać, odstawić na 10 minut w chłodne miejsce.
7. Sałatkę podawać z białym chlebem i czerwonym winem.

Białko	Tłuszcz	Węglowodany	Kcal/kJ
22 g	30 g	41 g	520/2210

Składniki

100 g makaronu świderków
1 cukinia
2 pomidory
125 g sera mozzarella
1 czerwona cebula
1 pęczek mieszanych ziół
3 łyżki octu winnego z białego wina
czarny pieprz z młynka
5 łyżek oleju słonecznikowego
50 g salami w cieniutkich plasterkach
2 łyżki kaparów
sól

RADA

„Prawdziwa" mozzarella jest produkowana z bawolego mleka i pochodzi z okolic Neapolu. Światową sławę zdobyła poprzez włoską przekąskę „Caprese" przygotowywaną właśnie z mozzarelli z dodatkiem bazylii i pomidorów.

Składniki

500 g makaronu rurek
2 czerwone cebule
1 ogórek sałatkowy
500 g owczego sera
2 czerwone
 papryczki pepperoni
1 łyżka musztardy
10 łyżek octu winnego
 z czerwonego wina
100 ml rosołu
 warzywnego (instant)
12 łyżek oliwy
1/2 pęczka tymianku
100 g zielonych oliwek
sól, czarny pieprz
 z młynka
szczypta cukru

Sałatka makaronowa z owczym serem

Przyrządzanie:

1. Makaron ugotować.
2. Cebule obrać, pokroić na cząstki.
3. Ogórek umyć, podzielić wzdłuż na pół, usunąć pestki. Miąższ pokroić w plasterki.
4. Owczy ser pokroić w kostkę. Papryczki pepperoni umyć, pokroić w cienkie krążki.
5. Musztardę wymieszać z octem, rosołem i oliwą.

Sos winegret przyprawić do smaku solą, pieprzem i cukrem.
6. Tymianek posiekać.
7. Makaron wymieszać z cebulą, ogórkiem, owczym serem, peperoni i oliwkami.
8. Sałatkę polać sosem, posypać tymiankiem.

EBiałko	Tłuszcz	Węglowodany	Kcal/kJ
51 g	48 g	79 g	1130/4750

Składniki

400 g ugotowanego ryżu
4 łyżki majonezu
125 g jogurtu
100 g szynki
100 g jabłek
2 łyżki płatków migdałów
po 1 strąku zielonej
 i czerwonej papryki
sól, pieprz

Turecka sałatka ryżowa

Przyrządzanie:

1. Ryż wymieszać z majonezem i jogurtem.
2. Pokroić szynkę i jabłko w kostkę. Płatki migdałów i posiekaną paprykę przeło-

żyć do ryżu. Przyprawić solą i pieprzem. Dokładnie wymieszać.

Białko	Tłuszcz	Węglowodany	Kcal/kJ
11 g	18 g	34 g	354/187

Sałatka z tortellini

Przyrządzanie:

1. Tortellini przygotować według przepisu na opakowaniu.
2. Sałatę i rukolę umyć, porwać na kawałki, dobrze osączyć.
3. Pomidory umyć, pokroić w ósemki.
4. Cukinię umyć, pokroić w cienkie paseczki.
5. Fenkuł opłukać, oczyścić, pokroić w plasterki.
6. Cebulę obrać, pokroić w krążki.
7. Gotowaną szynkę pokroić w kostkę.
8. Tortellini odcedzić, polać zimną wodą, dobrze osączyć na sitku.
9. Oliwę rozgrzać, podsmażyć na niej krążki cebuli i kostki szynki. Dodać pierożki tortellini, wymieszać.
10. Przygotowane warzywa przełożyć do miski, wymieszać.
11. Z kwaśnej śmietany, maślanki i soku cytrynowego przygotować sos. Dodać drobno posiekaną bazylię i olej z pestek winogron, przyprawić solą i białym pieprzem.
12. Do sałatki przełożyć ciepłe pierożki tortellini z szynką i cebulą.

Składniki
150 g tortellini
1 główka sałaty rzymskiej lub zwykłej zielonej sałaty
200 g rukoli
400 g pomidorów
300 g delikatnej cukinii
200 g fenkułu
1 cebula sałatkowa
200 g gotowanej szynki
1 łyżka oliwy
175 g kwaśnej śmietany
2 łyżki maślanki
sok z 1 cytryny
1 pęczek świeżej bazylii
biały pieprz
sól
2 łyżki oleju z pestek winogron

Białko	Tłuszcz	Węglowodany	Kcal/kJ
22 g	21 g	41 g	444/1865

RADA

Tortellini to małe faszerowane kieszonki z ciasta. Nieco większe od nich są pierożki tortelloni. Przygotowywuje się je, na ogół, z ciasta jajecznego, często z dodatkiem szpinaku lub pomidorów. Na rynku można kupić pierożki z rozmaitymi farszami.

Składniki
100 g ryżu
sól, biały pieprz
1 puszka kiełków
fasoli mung (212 ml)
1 puszka mini-
-marchewek (212 ml)
1 słoik kolb
kukurydzy (370 ml)
1 strąk czerwonej
papryki
150 g chudego jogurtu
2 łyżki majonezu
curry w proszku
50 g sałaty roszponki

Egzotyczna sałatka ryżowa

Przyrządzanie:
1. Ryż ugotować w osolonej wodzie według przepisu na opakowaniu.
2. Kiełki fasoli mung, mini-marchewki i kolby kukurydzy odcedzić, osączyć.
3. Paprykę oczyścić, usunąć gniazdo nasienne, miąższ pokroić w kostkę. Jogurt wymieszać z majonezem, przyprawić na pikant-

nie solą, pieprzem i curry.
4. Ryż odcedzić, dobrze osączyć na sitku, wymieszać z przygotowanymi składnikami sałatki i sosem.
5. Całość odstawić na 15 minut w chłodne miejsce. Roszponkę umyć, osuszyć, ułożyć na talerzach, dodać porcję sałatki ryżowej.

Białko	Tłuszcz	Węglowodany	Kcal/kJ
3 g	3 g	10 g	91/380

Składniki
130 g ryżu
250 g porów
150 g upieczonego
mięsa z kurczaka
150 g mięsa krabów
4 łyżki oleju
4 łyżki soku z cytryny
pieprz, cukier, sól
2 łyżeczki curry
1 łyżka chutneya z mango

Indyjska sałatka ryżowa

Przyrządzanie:
1. Ugotować ryż w 1 litr osolonej wody. Przełożyć na sitko, przelać zimną wodą, dobrze osączyć.
2. Pory oczyścić, umyć, pokroić w paseczki. Gotować kilka minut w osolo-

nym wrzątku, odcedzić, osączyć.
3. Z mięsa zdjąć skórę, kurczaka pokroić w kostkę.
4. Do miski przełożyć kraby, mięso z kurczaka, paseczki pora i ryż.
5. Przygotować sos: olej

wymieszać z sokiem cytrynowym, przyprawić pieprzem i cukrem. Dodać curry i chutney z mango. Sos połączyć ze składnikami sałatki, odstawić na kilka minut w chłodne miejsce.

6. Sałatkę ryżową ewentualnie przyprawić solą i sokiem z cytryny. Przed podaniem posypać curry.

Białko	Tłuszcz	Węglowodany	Kcal/kJ
3 g	3 g	10 g	91/380

RADA

Sałatka dobrze smakuje ze świeżym białym pieczywem.

Sałatka makaronowa z krewetkami

Przyrządzanie:

1. Makaron ryżowy moczyć 10–15 minut w gorącej wodzie. Przełożyć na sitko, dobrze osączyć. Przykryć ściereczką, odłożyć.
2. Czosnek obrać, drobniutko posiekać, podsmażyć na oleju. Dodać brązowy cukier, rozpuścić na małym ogniu. Do karmelu włożyć krewetki, smażyć 5 minut, często mieszając. Całość podlać rosołem

i 1 łyżką sosu sojowego, wymieszać, krótko zagotować.
3. Makaron przełożyć na półmisek. Dodać krewetki razem z sosem, posypać połową listków bazylii, wymieszać.
4. Przyprawić pozostałym sosem sojowym. Przed podaniem udekorować pozostałymi listkami bazylii.

Białko	Tłuszcz	Węglowodany	Kcal/kJ
23 g	22 g	33 g	420/1750

Składniki
350 g makaronu
  ryżowego (o szerokości
  około 0,5 cm)
3 ząbki czosnku
5 łyżek oleju
2 łyżki brązowego cukru
350 g krótko
  obgotowanych krewetek
100 ml rosołu warzywnego
2 łyżki sosu sojowego
około 2 garści listków
  bazylii

RADA

Makaron ryżowy przyrządza się z mąki ryżowej i wody. Jest to produkt szczególnie lubiany w Azji.

SAŁATKI MAKARONOWE I RYŻOWE

Składniki
200 g makaronu
 wstążek
200 g gotowanej szynki
2 filiżanki
 marynowanej dyni
1/2 ogórka sałatkowego
2 łyżki octu
świeżo zmielony biały
 pieprz, sól
100 g majonezu
5 łyżek śmietany
1 łyżka soku z cytryny
szczypta tartej gałki
 muszkatołowej
trochę imbiru w proszku
1 pojemnik rzeżuchy
 lub trochę natki
 pietruszki

Składniki
12 krewetek
pieprz
125 ml sosu sojowego
2 żółtka
2–3 łyżki sosu sojowego
200 ml oleju
świeży imbir
1 białko
200 g makaronu
olej do smażenia
sok z cytryny
sól
pieprz

Sałatka makaronowa z dynią

Przyrządzanie:
1. Makaron ugotować w osolonej wodzie, przełożyć na sitko, przelać zimną wodą, dobrze osączyć.
2. Gotowaną szynkę pokroić w plasterki.
3. Dynię pokroić w drobną kostkę, umyty nieobrany ogórek w plasterki. Przygotowane składniki wymieszać z octem i świeżo zmielonym pieprzem. Dodać makaron, ponownie wymieszać, odstawić na 30 minut w chłodne miejsce.

4. Przygotować marynatę: majonez dokładnie wymieszać ze śmietaną i sokiem z cytryny.
5. Przyprawić solą, pieprzem, tartą gałką muszkatołową i imbirem.
6. Marynatą polać sałatkę bezpośrednio przed podaniem.
7. Potrawę udekorować rzeżuchą lub natką pietruszki.

Białko	Tłuszcz	Węglowodany	Kcal/kJ
18 g	24 g	42 g	466/1956

Sałatka makaronowa z krewetkami i imbirem

Przyrządzanie:
1. Krewetki przyprawić pieprzem, marynować 20 minut w sosie sojowym.
2. Przygotować sos: sos sojowy wymieszać z żółtkami, sokiem cytrynowym, solą i pieprzem. Małymi porcjami, nie przerywając mieszania, dodawać olej, tak aby powstała gładka emulsja.
3. Imbir obrać, drobno zetrzeć, przełożyć do sosu.
4. Białko ubić na sztywno ze szczyptą soli. Ostrożnie połączyć z sosem.

5. Makaron przygotować według przepisu na opakowaniu.
6. Krewetki wyjąć z marynaty, osuszyć papierowym ręcznikiem. Smażyć z obu stron na bardzo gorącym oleju.
7. Krewetki podawać z przygotowanym sosem i makaronem.
8. Danie bardzo dobrze smakuje ze szklaneczką schłodzonego białego wina.

Białko	Tłuszcz	Węglowodany	Kcal/kJ
25 g	56 g	19 g	679/2840

Eleganckie
sałatki

Składniki

400 g filetów z piersi
kurczaka
3 łyżki oleju roślinnego
250 g truskawek
2 kiwi
1 mango
1 mała sałata rzymska
sól
biały pieprz
Sos:
1 mała papryczka chili
1 pęczek melisy
cytrynowej
5 łyżek oleju roślinnego
1 łyżeczka miodu
sok z 1 cytryny
1 łyżeczka musztardy

Pikantna sałatka owocowa

(zdjęcie str. 29)

Przyrządzanie:
1. Mięso umyć, osuszyć, przyprawić solą i pieprzem, smażyć 4 minuty z każdej strony na średnim ogniu.
2. Truskawki podzielić na ćwiartki. Kiwi obrać, pokroić w cienkie plasterki. Z mango usunąć pestkę, miąższ również pokroić w cienkie plasterki.
3. Odłożyć 4 całe liście sałaty rzymskiej, pozostałe pokroić w paseczki.
4. Piersi z kurczaka pokroić w plasterki.
5. W salaterce umieścić pokrojone w paseczki liście sałaty rzymskiej. Przykryć całymi liśćmi sałaty. Dodać mięso i owoce.
6. Przygotować sos: papryczkę chili oczyścić, pokroić w krążki. Mielisę cytrynową posiekać. Olej wymieszać z miodem, sokiem z cytryny i musztardą. Dodać krążki chili i melisę cytrynową, wymieszać.
7. Sos przyprawić do smaku solą i pieprzem. Polać sałatkę.

Białko	Tłuszcz	Węglowodany	Kcal/kJ
25 g	21 g	24 g	251/1048

Składniki

1/2 główki sałaty
batawia
300 g sera gouda
300 g usmażonej
piersi z kurczaka
2 soczyste gruszki
2 dymki
100 g orzechów
włoskich
150 g jogurtu
2 łyżki musztardy
2 łyżki octu winnego
z czerwonego wina
pieprz, sól
1/2 łyżeczki świeżego
lub suszonego
estragonu

Sałatka serowa z gruszką

Przyrządzanie:
1. Sałatę umyć, porwać na kawałki.
2. Ser gouda pokroić w kostkę o wielkości 1 1/2 centymetra. Wystudzone mięso z kurczaka pokroić w plasterki. Gruszki umyć, również pokroić w plasterki. Dymkę oczyścić, pokroić w krążki.
3. Ser wymieszać z mięsem, gruszkami, dymką i orzechami włoskimi. Dodać sałatę, przełożyć na salaterkę.
4. Przygotować sos: jogurt połączyć z musztardą i octem. Przyprawić do smaku solą, pieprzem i estragonem. Sosem polać przygotowaną sałatkę.

Białko	Tłuszcz	Węglowodany	Kcal/kJ
42 g	39 g	15 g	601/2524

Sałatka Arabica

Przyrządzanie:
1. Kuskus przygotować według przepisu na opakowaniu w 180 ml wody.
2. Ząbki czosnku obrać, zgnieść. Papryczkę chili oczyścić, usunąć gniazdo nasienne. Miąższ opłukać, drobno pokroić.
3. Kuskus wymieszać z czosnkiem i mielonym mięsem. Przyprawić na pikantnie solą i pieprzem. Z masy uformować klopsiki.
4. Mocno rozgrzać na patelni 3 łyżki oleju, smażyć na nim klopsiki 4 minuty na średnim ogniu, nie przerywając mieszania. Dodać rozmrożone warzywa, ciecierzycę i chili, przykryć, pozostawić na 10 minut na wyłączonej kuchni.
5. Przygotować sos: ocet połączyć z pozostałym olejem, kurkumą i cynamonem. Przyprawić solą, pieprzem i cukrem.
6. Wszystkie składniki wymieszać z przygotowanym sosem i paseczkami endywii. Sałatkę podawać dobrze schłodzoną.

Białko	Tłuszcz	Węglowodany	Kcal/kJ
17 g	42 g	30 g	607/2374

Składniki
150 g kaszki kuskus (instant)
2 ząbki czosnku
1 mała czerwona papryczka chili
200 g mielonej jagnięciny
sól
świeżo zmielony pieprz
10 łyżek oleju
300 g mrożonej mieszanki warzywnej
75 g ciecierzycy (z puszki)
6 łyżek octu winnego
1/2 łyżeczki kurkumy
szczypta cynamonu
trochę cukru
kilka pokrojonych w paseczki liści sałaty endywia

Sałatka z migdałami

Przyrządzanie:
1. Bulgur gotować 5–8 minut w osolonej wodzie, przełożyć na sitko, polać zimną wodą, dobrze osączyć.
2. Pomidory sparzyć, zdjąć z nich skórkę. Miąższ pokroić w kostkę o wielkości 5 mm. Dymki oczyścić, umyć, pokroić w cienkie krążki. Natkę pietruszki i miętę opłukać, osuszyć, drobno posiekać.
3. Wszystkie składniki wymieszać. Sałatkę wstawić na co najmniej godzinę do lodówki. Ewentualnie ponownie przyprawić do smaku.
4. Migdały zrumienić na suchej patelni, dodać do sałatki.

Białko	Tłuszcz	Węglowodany	Kcal/kJ
11 g	21 g	39 g	396/1658

Składniki
200 g kaszki bulgur
sól
3–4 pomidory
2 dymki
3/4 filiżanki natki pietruszki
1/2 filiżanki mięty
1 posiekana czerwona cebula
40 ml soku z cytryny
40 ml oliwy
świeżo zmielony pieprz
80 g słupków migdałów

Składniki

175 g obranej żółtej
soczewicy
sól, pieprz
125 g szparagów
10 g masła lub
margaryny
szczypta cukru
125 g boczniaków
100 g rukoli
125 g pomidorów
2 jajka przepiórcze
2 łyżki octu
balsamicznego
2 łyżki oleju
słonecznikowego
1 łyżka posiekanego
szczypiorku

Ziarenka soczewicy
muszą być gładkie,
bez żadnych
uszkodzeń.
Soczewica jest
bogatym źródłem
wartościowego
białka, potasu,
żelaza oraz witamin
B_1, B_2, B_6 i niacyny.
Rośliny strączkowe
w połowie składają
się z węglowodanów.

Sałatka z żółtą soczewicą

Przyrządzanie:

1. Soczewicę przełożyć do osolonego wrzątku, gotować 25 minut. Szparagi obrać, pokroić na kawałki, gotować 15 minut w osolonej wodzie z dodatkiem 5 g masła i szczypty cukru.
2. Boczniaki oczyścić, pokroić na małe kawałki. Pozostałe masło rozgrzać, smażyć na nim grzyby 5 minut na średnim ogniu, nie przerywając mieszania. Przyprawić do smaku solą i pieprzem.
3. Rukolę oczyścić, umyć, porwać na małe kawałki. Pomidory sparzyć, podzie-

lić na ćwiartki, usunąć środki z pestkami.
4. Jajka przepiórcze gotować 3 minuty w wodzie. Następnie obrać, podzielić na połówki. Z octu, soli, pieprzu i oleju przygotować sos. Rukolę wymieszać z odrobiną sosu, przełożyć na talerze. Dodać porcje grzybów, szparagów i pomidorów.
5. Na sałatce umieścić osączoną soczewicę. Całość posypać szczypiorkiem. Polać pozostałym sosem. Udekorować przepiórczymi jajkami.

Białko	Tłuszcz	Węglowodany	Kcal/kJ
26 g	17 g	49 g	475/1988

Składniki

1 jabłko
1 gruszka
1 pomarańcza
200 g ciemnych
i jasnych winogron

Sałatka z serem i owocami

Przyrządzanie:

1. Jabłko i gruszkę obrać, pokroić na małe kawał-

ki. Pomarańczę obrać, podzielić na cząstki. Winogrona pokroić na po-

łówki, usunąć z nich pestki.
2. Owoce przełożyć na cztery talerze, posypać orzechami.
3. Ser brie pokroić na małe kawałki, dodać do owoców.
4. Przygotować sos: śmietanę wymieszać z sokiem pomarańczowym i cukrem. Przyprawić na pikantnie curry i cynamonem. Sosem polać sałatkę.

Białko	Tłuszcz	Węglowodany	Kcal/kJ
12 g	34 g	27 g	646/1949

20 g orzechów włoskich
20 g orzeszków cashew
200 g sera brie (zawartość tłuszczu 60%)
150 g śmietany
sok z 1 pomarańczy
1 łyżeczka cukru
1/2 łyżeczki curry
szczypta cynamonu

Sałatka z granatem

Przyrządzanie:
1. Sałatę oczyścić, umyć, osuszyć. Granat podzielić na pół, łyżeczką wyjąć pestki, zachować, wydobywający się przy tym sok również zachować. Mango obrać, pestkę usunąć. Miąższ pokroić na cząstki.
2. Przygotować sos: zachowany sok z owocu granata wymieszać z musztardą, miodem, octem i jogurtem. Na końcu dodać olej orzechowy i oliwę, wymieszać. Przyprawić solą i pieprzem.
3. Ser pokroić na kawałki.
4. Sałatę, mango i ser przełożyć na talerze, polać sosem. Posypać pestkami granatu. Podawać z bagietką.

Białko	Tłuszcz	Węglowodany	Kcal/kJ
9 g	32 g	16 g	389/1628

Składniki
1 mała główka sałaty fryzyjskiej
1 granat
1 duże dojrzałe mango
1 łyżeczka musztardy z całymi ziarenkami gorczycy
400 g miękkiego sera
2 łyżeczki płynnego miodu
3 łyżki octu malinowego
150 g jogurtu
3 łyżki oleju z orzechów włoskich
3 łyżki oliwy
sól
świeżo zmielony pieprz

ELEGANCKIE SAŁATKI

Składniki
1 łyżka posiekanych
orzechów włoskich
2 łyżki octu winnego
z białego wina
1 łyżka octu
malinowego
2 łyżeczki miodu
1 słoik pokrojonych
serc karczochów
(370 ml)
1 puszka zielonej
fasoli (212 ml)
125 g mieszanych
liści sałaty
2 plasterki koziego sera
sól
czarny pieprz z młynka
3 łyżki oliwy

Sałatka z kozim serem i karczochami

Przyrządzanie:

1. Orzechy zrumienić na suchej patelni, nie przerywając mieszania, aż zaczną wyraźnie pachnieć. Przełożyć na talerz, wystudzić.
2. Z octu, pół łyżeczki miodu, soli, pieprzu i oliwy przygotować sos winegret. Karczochy i zieloną fasolkę odcedzić, osączyć na sitku. Następnie przemieszać z sosem winegret.
3. Liście sałaty umyć, osuszyć.

4. Plasterki sera ułożyć w małej formie żaroodpornej, posypać pieprzem, skropić pozostałym miodem. Zapiekać kilka minut w nagrzanym piekarniku, aż do stopienia się sera.
5. Na cztery talerze przełożyć liście sałaty i porcje warzyw, posypać orzechami. Podawać z serem.

Białko	Tłuszcz	Węglowodany	Kcal/kJ
21 g	37 g	21 g	520/2190

Składniki
300 g sałaty roszponki
200 g koziego sera
6 borowików
8 łyżek oleju
rzepakowego
2 łyżki pestek
słonecznika
2 jajka
4 łyżki bułki tartej
2 łyżki oleju
słonecznikowego
2 łyżki łagodnego
octu winnego
z białego wina
2 łyżeczki oleju
z orzechów włoskich
2 łyżki posiekanej
kolendry
szczypta mielonego
kminku
sól, pieprz

Sałatka z borowikami

Przyrządzanie:

1. Roszponkę oczyścić, umyć. Ser pokroić w kostkę o wymiarach 2 x 2 centymetry. Borowiki oczyścić, pokroić w grube plasterki około 1 centymetra.
2. Mocno rozgrzać na patelni 4 łyżki oleju rzepakowego, smażyć na nim grzyby 2 minuty z każdej strony na średnim ogniu, przełożyć na talerz. Na tę samą gorącą patelnię wrzucić pestki słonecznika, zrumienić. Ser panierować kolejno w jajkach i bułce tartej.

Usmażyć na oleju słonecznikowym na złoty kolor.
3. Z octu winnego, oleju orzechowego, pozostałego oleju rzepakowego i przypraw przygotować sos.
4. Roszponkę wymieszać z przygotowanym sosem. Przełożyć na cztery talerze. Dodać usmażone borowiki i kozi ser. Przed podaniem posypać pestkami słonecznika.

Białko	Tłuszcz	Węglowodany	Kcal/kJ
28 g	40 g	12 g	591/2482

Sosy
i dipy

Składniki
2–3 łyżki octu winnego
z białego wina
1 łyżeczka musztardy
1 szalotka, sól
pieprz z młynka
4 łyżki oleju
kukurydzianego

Sos francuski (zdjęcie str. 77)

Przyrządzanie:
1. Ocet winny dokładnie wymieszać z musztardą.
2. Szalotkę obrać, pokroić w drobną kosteczkę, przełożyć do sosu. Przy-

prawić solą i pieprzem. Na końcu wlać olej, całość dokładnie wymieszać.

Białko	Tłuszcz	Węglowodany	Kcal/kJ
1 g	30 g	1 g	282/1184

Składniki
2 łyżki octu sherry
2 łyżki czerwonego wina
1–2 łyżeczki koncentratu
pomidorowego
sól
pieprz (z młynka)
szczypta cukru
4 łyżki oliwy
2 gałązki bazylii

Sos pomidorowy (zdjęcie str. 77)

Przyrządzanie:
1. Ocet sherry wymieszać z czerwonym winem i koncentratem pomidorowym. Przyprawić do smaku solą, pieprzem i cukrem. Dodać oliwę, dokładnie wymieszać.

2. Do sosu wrzucić posiekaną bazylię.

Białko	Tłuszcz	Węglowodany	Kcal/kJ
1 g	30 g	1 g	282/1184

Składniki
150 g kwaśnej śmietany
200 g chudego twarogu
sok z 1/2 cytryny
100 ml mleka
1/2 ogórka sałatkowego
1 cebula
1 ząbek czosnku
1/2 pęczka koperku
sól, pieprz

Dip twarogowy

Przyrządzanie:
1. Kwaśną śmietanę wymieszać z twarogiem, sokiem z cytryny i mlekiem.
2. Ogórek sałatkowy obrać, zetrzeć. Dodać do dipu, ponownie wymieszać.
3. Cebulę i czosnek obrać,

drobniutko posiekać, również dodać do dipu, wymieszać.
4. Dip przyprawić solą i pieprzem. Dodać drobno posiekany koperek.

Białko	Tłuszcz	Węglowodany	Kcal/kJ
7 g	9 g	7 g	130/546

Składniki
3 łyżki octu winnego
z czerwonego wina
sól
4 łyżki oliwy

Sos włoski

Przyrządzanie:
1. Ocet winny wlać do filiżanki, posolić.
2. Mieszać widelcem, aż do zupełnego rozpuszczenia się soli.

3. Dodać oliwę, całość ponownie energicznie wymieszać.

Białko	Tłuszcz	Węglowodany	Kcal/kJ
0 g	10 g	0 g	92/384

Składniki
100 g rukoli
200 g twarożku ziołowego
3 łyżki oliwy
200 g śmietany kremówki
sól
pieprz
cukier

Dip z rukolą

Przyrządzanie:
1. Rukolę umyć, osuszyć, trochę odłożyć do dekoracji, resztę posiekać.
2. Rukolę wymieszać z twarogiem i oliwą. Następnie całość zmiksować na gładko. Dodać śmietanę, wymieszać.

3. Dip przyprawić do smaku solą, pieprzem i cukrem. Udekorować odłożonymi liśćmi rukoli.

Białko	Tłuszcz	Węglowodany	Kcal/kJ
7 g	18 g	4 g	199/837

Sos winegret

Przyrządzanie:
1. Do octu winnego wsypać sól, mieszać aż do zupełnego rozpuszczenia się soli. Dodać pieprz, musztardę i cukier. Powoli, nie przerywając mieszania, dodawać olej.
2. Szalotkę obrać, pokroić w kostkę. Dodać z ziołami do sosu, wymieszać.
3. Winegret przyprawić do smaku według uznania, np.:
• dodając pokruszony owczy ser roquefort i zmieloną gorczycę (doskonale smakuje z selerem naciowym);
• dodając koperek, słodką śmietanę, cebulę i szczyptę cukru (bardzo dobrze smakuje z rybą oraz mięsem);
• ze szczyptą sherry lub wódki malinowej (podawać z sałatą liściastą);
• dodając jogurt i kwaśną gęstą śmietanę i sok z cytryny (zamiast octu).

Białko	Tłuszcz	Węglowodany	Kcal/kJ
0 g	15 g	20 g	144/604

Składniki
2 łyżki octu winnego z białego wina
1/2 łyżeczki soli
pieprz
1/2 łyżeczki musztardy
cukier
4 łyżki oleju tłoczonego na zimno
1 szalotka
1 łyżka posiekanych ziół

Składniki
150 g jogurtu
2 łyżki kwaśnej śmietany
2 łyżki posiekanych
ziół (koperek,
trybula, szczypiorek)
1 zgnieciony ząbek
czosnku
sól, pieprz
ew. odrobina cukru

Dip jogurtowy z ziołami

Przyrządzanie:
1. Wszystkie składniki wymieszać na gładko. Przyprawić na pikantnie.
2. Podawać do surówek lub jako sos do sałatek.

Można też polać nim ugotowane tradycyjnie ziemniaki.

Białko	Tłuszcz	Węglowodany	Kcal/kJ
7 g	8 g	8 g	136/574

Składniki
125 g śmietany
trochę koniaku
po 1 łyżce soku
z cytryny i pomarańczy
2 łyżki keczupu
trochę sosu tabasco

Sos amerykański

Przyrządzanie:
1. Śmietanę wymieszać na gładko z koniakiem, sokiem z cytryny i pomarańczy.
2. Przyprawić na pikantnie keczupem i sosem tabasco. Wstawić na 30 minut do lodówki.

3. Sos ponownie przyprawić. Podawać z sałatkami z liści sałaty, sałatkami jarzynowymi, jak również do sałatek z mięsem, rybami oraz jajkami.

Białko	Tłuszcz	Węglowodany	Kcal/kJ
1 g	10 g	2 g	118/492

Składniki
sok z 1 cytryny
sok z 1 pomarańczy
sól, cukier, pieprz
1 łyżka likieru
pomarańczowego
4 łyżki oleju
kukurydzianego
lub oliwy

Sos cytrynowy

Przyrządzanie:
1. Sok cytrynowy i pomarańczowy wymieszać. Przyprawić solą, cukrem i pieprzem. Dodać likier, całość ponownie wymieszać.

2. Powoli, nie przerywając mieszania, dodawać olej lub oliwę.

Białko	Tłuszcz	Węglowodany	Kcal/kJ
0 g	15 g	7 g	170/709

Składniki
1 cebula
100 g śmietany
100 g majonezu
1 łyżeczka przecieru
paprykowego
sól ziołowa
ostra papryka
w proszku

Dip paprykowy

Przyrządzanie:
1. Cebulę obrać, pokroić w kosteczkę.
2. Śmietanę ubić na półsztywno. Dodać majonez i przecier paprykowy, wymieszać.

3. Dodać cebulę. Przyprawić do smaku solą i ostrą papryką.

Białko	Tłuszcz	Węglowodany	Kcal/kJ
2 g	37 g	2 g	358/1503

Składniki
2 jajka
1 szalotka
4 korniszony
1 pęczek szczypiorku
150 g twarogu
 z zielonym pieprzem
100 g kwaśnej gęstej
 śmietany
sól

Dip twarogowo-jajeczny

Przyrządzanie:
1. Jajka gotować 10 minut w osolonej wodzie. Prze-studzić, polewając zimną wodą, obrać, posiekać.
2. Szalotkę obrać, posie-kać z ogórkiem i szczy-piorkiem.
3. Twaróg wymieszać na gładko z kwaśną, gęstą śmietaną. Dodać jajka, sza-lotkę, korniszony i szczypio-rek, całość ponownie do-kładnie wymieszać.
4. Dip twarogowo-jajeczny przyprawić 2 łyżkami zalewy z ogórków i szczyptą soli.

Białko	Tłuszcz	Węglowodany	Kcal/kJ
8 g	19 g	2 g	211/883

Ten pikantny dip doskonale smakuje z surowymi warzywami, takimi jak: marchewka, ogórek, seler naciowy (pokrojony w paseczki) lub z pieczywem. Można też do dipu dodać drobno pokrojone kwaśne jabłko.

81

Składniki
150 ml maślanki
1 łyżka soku z cytryny
1 łyżeczka tartego
chrzanu
1 pęczek szczypiorku
biały pieprz
sól

Sos szczypiorkowy

Przyrządzanie:
1. Maślankę wymieszać z sokiem cytrynowym i chrzanem.
2. Szczypiorek drobno posiekać, wrzucić do sosu.

Przyprawić do smaku solą i pieprzem.

Białko	Tłuszcz	Węglowodany	Kcal/kJ
2 g	0 g	2 g	18/76

Składniki
125 g śmietany
2 łyżki majonezu
1 łyżka kwaśnej
gęstej śmietany
1 łyżeczka octu
1 łyżeczka soku
z cytryny, 1 łyżeczka
pasty z anchois
1 pęczek natki pietruszki
1 pęczek koperku

Sos śmietanowo-ziołowy

Przyrządzanie:
1. Śmietanę ubić na sztywno.
2. Majonez wymieszać z kwaśną gęstą śmietaną, octem, sokiem cytrynowym i pastą anchois.
3. Przygotowaną mieszan-

kę przełożyć do sosu. Natkę pietruszki i koperek opłukać, drobno posiekać, wrzucić do sosu. Całość dokładnie wymieszać.

Białko	Tłuszcz	Węglowodany	Kcal/kJ
1 g	17 g	2 g	168/701

Składniki
150 g jogurtu
2 łyżki kwaśnej śmietany
po 1/2 pęczka koperku,
trybuli, szczypiorku
lub 2 łyżki ziół
sałatkowych
(mrożony produkt
gotowy)
1 ząbek czosnku
sól, pieprz
trochę cukru
1 łyżka octu

Sos jogurtowy

Przyrządzanie:
1. Jogurt wymieszać z kwaśną śmietaną.
2. Zieleninę opłukać, osuszyć papierowym ręcznikiem, drobniutko posiekać. Przełożyć do sosu.
3. Jeżeli wykorzystujemy zioła mrożone, nie rozmra-

żamy ich przed dodaniem do sosu. Czosnek obrać, zgnieść widelcem, również przełożyć do sosu. Przyprawić na pikantnie. Podawać z surówkami lub jako sos sałatkowy.

Białko	Tłuszcz	Węglowodany	Kcal/kJ
2 g	2 g	3 g	40/169

Składniki
2 awokado
2 łyżki soku z cytryny
sól
pieprz
pieprz cayenne

Dip z awokado

Przyrządzanie:
1. Awokado podzielić wzdłuż na pół, usunąć pestki. Miąższ wydrążyć łyżeczką, zgnieść widelcem. Przyprawić do sma-

ku sokiem cytrynowym, solą, pieprzem i pieprzem cayenne.

Białko	Tłuszcz	Węglowodany	Kcal/kJ
2 g	10 g	6 g	132/554

Pikantny sos śmietanowy

Przyrządzanie:
1. Wszystkie składniki dokładnie wymieszać.
2. Sos przyprawić na pikant-

nie solą i pieprzem. Doskonale smakuje z zieloną sałatą.

Białko	Tłuszcz	Węglowodany	Kcal/kJ
1 g	10 g	2 g	108/452

Składniki
125 g śmietany
2 łyżki soku z cytryny
2 łyżeczki musztardy
szczypta soli i pieprzu

Sos estragonowy

Przyrządzanie:
Wszystkie składniki dokładnie wymieszać. Odstawić na kilkanaście minut w chłodne miejsce.

Białko	Tłuszcz	Węglowodany	Kcal/kJ
2 g	5 g	4 g	66/280

Składniki
50 ml kefiru, 175 g gęstego zsiadłego mleka, szczypta cukru, sok z 1/2 cytryny 1 łyżeczka octu estragonowego, drobno posiekany, świeży estragon, trochę łagodnej musztardy

Sos z rzeżuchą

Przyrządzanie:
Zsiadłe mleko wymieszać z sokiem cytrynowym, koperkiem, grubo posiekaną rzeżuchą i drobno posiekaną bazylią. Przyprawić do

smaku solą, pieprzem i sosem worcester. Odstawić na kilkanaście minut w chłodne miejsce.

Białko	Tłuszcz	Węglowodany	Kcal/kJ
16 g	20 g	37 g	394/1655

Składniki
200 g zsiadłego mleka sok z 1 cytryny
2 łyżki posiekanego świeżego koperku
1 pojemnik rzeżuchy
2 łyżki bazylii, pieprz, sól trochę sosu worcester

Sos czosnkowy

Przyrządzanie:
1. Ząbki czosnku obrać, przecisnąć przez praskę. Bazylię i tymianek drobno posiekać. Wymieszać z owczym serem, serem pecori-

no i orzeszkami piniowymi. Zmiksować na gładko.
2. Na końcu dodać oliwę, ponownie wymieszać.

Białko	Tłuszcz	Węglowodany	Kcal/kJ
9 g	44 g	6 g	451/1894

Składniki
3 ząbki czosnku
2 pęczki bazylii
1 gałązka świeżego tymianku
60 g owczego sera
40 g tartego sera pecorino
4 łyżki orzeszków piniowych, 8 łyżek oliwy sól, biały pieprz

Dip krabowy

Przyrządzanie:
Kraby umyć, drobno pokroić. Skropić sokiem z cytryny. Połączyć z kwaśną gęstą śmietaną, solą,

pieprzem, sosem tabasco i posiekanym koperkiem.

Białko	Tłuszcz	Węglowodany	Kcal/kJ
2 g	10 g	6 g	132/554

Składniki
250 g krabów
1 łyżka soku z cytryny
150 g kwaśnej gęstej śmietany
sól, pieprz, sos tabasco
1 łyżeczka posiekanego koperku

Składniki

500 g chudego twarogu
3 łyżki śmietany
1 cebula
1 pęczek szczypiorku
sól
szczypta ostrej papryki
biały pieprz

Dip twarogowy z papryką

Przyrządzanie:
Twaróg wymieszać mikserem. Dodać śmietanę, ponownie wymieszać mikserem. Cebulę obrać, pokroić w kosteczkę. Szczypiorek opłukać, drobno posiekać. Następnie przełożyć z cebulą, szczypiorkiem i przyprawami do twarogu. Całość dokładnie wymieszać. Jeżeli dip będzie zbyt gęsty, można dodać trochę mleka.

Białko	Tłuszcz	Węglowodany	Kcal/kJ
17 g	4 g	7 g	134/564

Składniki

150 g kwaśnej śmietany
1 łyżeczka posiekanych
  mieszanych ziół
5 łyżek mleka
2 łyżki soku z cytryny
sól, pieprz
2 łyżki posiekanego
  szczypiorku
1/2 łyżeczki musztardy
trochę ziarenek gorczycy

Dip szczypiorkowy

Przyrządzanie:
1. Kwaśną śmietanę wymieszać z posiekanymi ziołami. Powoli małymi porcjami dodawać mleko i sok z cytryny. Przyprawić do smaku solą i pieprzem.

2. Do dipu dodać 1 łyżkę posiekanego szczypiorku. Przyprawić musztardą, pozostałym szczypiorkiem i ziarenkami gorczycy.

Białko	Tłuszcz	Węglowodany	Kcal/kJ
2 g	5 g	4 g	67/278

Składniki

1 łyżeczka musztardy
1 ząbek czosnku
4 łyżki zimnego
  lub gorącego rosołu
  (instant)
4 łyżki octu
4 łyżki oleju
trochę białego wina
1 jajko ugotowane
  na twardo
1 cebula
1 łyżka posiekanych ziół
2 posiekane ogórki
  konserwowe
sól, pieprz

Sos winegret z jajkiem i ogórkiem

Przyrządzanie:
1. Musztardę wymieszać z przeciśniętym przez praskę ząbkiem czosnku. Dodać rosół, ocet, olej, białe wino i łyżkę wody. Wszystkie składniki dokładnie wymieszać.
2. Jajko obrać, drobno pokroić, przełożyć do sosu.

3. Cebulę obrać, pokroić w drobną kosteczkę. Wymieszać z posiekanymi ziołami i ogórkiem. Całość również przełożyć do sosu. Przyprawić na pikantnie solą i pieprzem. Podawać z jajkiem.

Białko	Tłuszcz	Węglowodany	Kcal/kJ
2 g	12 g	2 g	132/554

Sałatki
owocowe

Składniki
25 g płatków migdałów
1/2 mango
1 mała pomarańcza
1 czerwony grejpfrut
50 g świeżych daktyli
1 marakuja
2 owoce miechunki

Istnieje ponad 400 rodzajów marakui. Ich kolory to żółty, czerwony (barwa czerwonego wina), fioletowy i ciemnobrązowy. Owoce mają orzeźwiający słodko-kwaśny smak, który jest zbliżony do smaku mieszanki malin, brzoskwiń i truskawek.

Sałatka egzotyczna z migdałami (zdjęcie str. 85)

Przyrządzanie:
1. Płatki migdałów zrumienić na suchej patelni, uważając przy tym, aby ich nie przypalić.
2. Mango obrać ostrym nożem, usunąć pestkę. Miąższ pokroić w plasterki.
3. Pomarańczę obrać, dokładnie usunąć białą skórkę. Owoc podzielić na cząstki, zdjąć z nich oddzielające błonki, wydobywający się przy tym sok zachować.
4. Z grejpfruta odkroić wierzch, odłożyć. Z pozostałego owocu ostrym nożem wykroić miąższ, po-

dzielić na cząstki, również usunąć z nich błonki, zachować wydobywający się sok.
5. Daktyle pokroić wzdłuż na ćwiartki, usunąć pestki. Marakuję podzielić na pół, miąższ wydrążyć łyżeczką.
6. Wszystkie owoce wymieszać z zachowanym sokiem z cytrusów. Przygotowaną sałatką wypełnić wydrążony grejpfrut. Udekorować owocami miechunki.

Białko	Tłuszcz	Węglowodany	Kcal/kJ
26 g	17 g	49 g	475/1988

Składniki
4 banany
2 pomarańcze
150 ml soku pomarańczowego
1 łyżka płynnego miodu
300 g jogurtu
1 łyżeczka cynamonu
1 łyżka cukru waniliowego
4 łyżki płatków kukurydzianych lub posiekanych orzeszków pistacjowych

Sałatka bananowa z sosem cynamonowym

Przyrządzanie:
1. Banany obrać, pokroić na kawałki. Pomarańcze obrać, pokroić w plasterki. Każdy plasterek podzielić na cztery części.
2. Sok pomarańczowy wymieszać z miodem, polać owoce.

3. Jogurt wymieszać z cynamonem i cukrem. Podawać z sałatką.
4. Gotową sałatkę posypać płatkami kukurydzianymi lub posiekanymi orzeszkami pistacjowymi.

Białko	Tłuszcz	Węglowodany	Kcal/kJ
5 g	5 g	39 g	210/882

Kolorowa sałatka z arbuzem (składniki na 6 porcji)

Przyrządzanie:
1. Owoce umyć i osuszyć.
2. Karambolę pokroić w plasterki. Kumkwaty podzielić na połówki. Jabłko i pomarańcze obrać. Miąższ pokroić na kawałki. Z miąższu arbuza specjalnym wycinakiem wydrążyć kulki.
3. Wszystkie owoce schłodzić. Dużą płaską miskę wstawić do zamrażalnika.

4. Pokruszyć 30–40 kostek lodu, przełożyć do miski. Na warstwie lodu umieścić schłodzone owoce. Udekorować cząstkami limonki.
5. Cukier puder wsypać do małych szalek, obtaczać w nim owoce (które można ponadziewać na szpilki do szaszłyków).

Białko	Tłuszcz	Węglowodany	Kcal/kJ
2 g	1 g	27 g	122/511

Składniki
1 karambola
4 kumkwaty
6 owoców miechunki
225 g ciemnych winogron
225 g dużych truskawek
1 jabłko
2 duże pomarańcze
8 obranych oczyszczonych z pestek owoców liczi
1/2 arbuza
kilka cząstek limonki do dekoracji
cukier puder

Sałatka owocowa z jogurtem

Przyrządzanie:
1. Owoce obrać, oczyścić. Banany i kiwi pokroić w plasterki, mango na cząstki, truskawki na połówki.

2. Jogurt przyprawić cukrem waniliowym.
3. Owoce polać jogurtem.

Białko	Tłuszcz	Węglowodany	Kcal/kJ
3 g	2 g	16 g	93/389

Składniki
1 banan
2 kiwi
1/2 mango
100 g truskawek
250 g jogurtu
1 torebka cukru waniliowego

Składniki
1 grejpfrut
1 cytryna
2 pomarańcze
1 czerwona cebula
100 ml soku
 pomarańczowego
1 łyżka oleju
 kukurydzianego
1 łyżka cukru
35 g prażonych
 słupków migdałów
listki świeżej
 kolendry do dekoracji
sól

Sałatka cytrusowa z migdałami

Przyrządzanie:
1. Owoce cytrusowe obrać, dokładnie usunąć białą skórkę. Następnie pokroić w plasterki.
2. Płaską salaterkę wyłożyć plasterkami owoców.
3. Czerwoną cebulę obrać, pokroić w cienkie krążki, ułożyć na owocach.
4. Z soku pomarańczowego, oleju kukurydzianego, cukru i soli przygotować sos słodko-kwaśny. Polać nim sałatkę.
5. Posypać prażonymi słupkami migdałów, przykryć, pozostawić na 15 minut w temperaturze pokojowej.
6. Gotową sałatkę przed podaniem udekorować listkami kolendry.

Białko	Tłuszcz	Węglowodany	Kcal/kJ
2 g	5 g	23 g	164/689

Mango z karmelem pomarańczowym

Przyrządzanie:
1. Mango cieniutko obrać. Miąższ pokroić na cząstki. Owoce ułożyć na 4 talerzach.
2. Z pomarańczy wycisnąć sok. Cukier wsypać na patelnię, podgrzewać, nie przerywając mieszania, aż nabierze jasnobrązowego koloru. Dodać sok pomarańczowy i skórkę pomarańczową.
3. Całość gotować do zgęstnienia, polać cząstki mango.

Białko	Tłuszcz	Węglowodany	Kcal/kJ
5 g	0 g	128 g	140/585

Składniki
1 mango
2 pomarańcze
4 łyżki cukru
50 g drobno posiekanej kandyzowanej skórki pomarańczowej

Papaja z farszem

Przyrządzanie:
1. Papaję przekroić na pół, usunąć pestki. Limonkę sparzyć, skórkę cieniutko obrać, posiekać, owoc wycisnąć. Połową soku skropić papaję. Ananas obrać, pokroić w plasterki lub na kawałki. Truskawki umyć, pokroić w plasterki, kilka odłożyć do dekoracji.
2. Twaróg wymieszać z miodem i pozostałym sokiem z limonki. Za pomocą dwóch łyżeczek uformować z masy twarogowej małe kluseczki. Owoce wymieszać, przełożyć z kluseczkami twarogowymi do połówek papai. Posypać skórką z limonki.
3. Połówki papai przełożyć na posypane cukrem pudrem talerzyki. Udekorować listkami mięty i plasterkami truskawek.

Białko	Tłuszcz	Węglowodany	Kcal/kJ
5 g	5 g	15 g	123/517

Składniki
1 papaja
1 limonka
1/2 małego ananasa
100 g truskawek
100 g twarogu
1 łyżeczka miodu
cukier puder
listki mięty do dekoracji

RADA
Papaja jest owocem pochodzącym z Ameryki Południowej. Także u nas cieszy się ona coraz większą popularnością. Zawiera dużą ilość prowitaminy A, witaminy B_2 i C.

Składniki

2 brzoskwinie
2 gruszki
2 nektarynki
1 banan
1 melon miodowy
lody cytrynowe

Owocowe kuleczki

Przyrządzanie:

1. Za pomocą specjalnego wycinaka z miąższu owoców wyciąć małe kuleczki. Pozostały miąższ zmiksować na gładko. Całość umieścić na co najmniej godzinę w lodówce.

2. Zmiksowane owoce przełożyć na płaski talerz, dodać owocowe kuleczki i lody cytrynowe.

Białko	Tłuszcz	Węglowodany	Kcal/kJ
3 g	0 g	43 g	187/785

Składniki

2 małe melony
100 g śliwek
100 g malin
2 kiwi
2 nektarynki
200 g jogurtu
kilka listków mięty
do dekoracji

Melon charakteryzuje się szorstką, pokrytą jakby siateczką skórką. Miąższ ma kolor od zielonego poprzez morelowy do czerwonożółtego i jest bardzo aromatyczny. Melon jest owocem nietrwałym i nie nadaje się do przechowywania.

Sałatka letnia

Przyrządzanie:

1. Melony podzielić na połówki, 300 g miąższu specjalnym wycinakiem pokroić w kulki, przełożyć do miski. Połówki melona umieścić w lodówce.
2. Śliwki umyć, usunąć pestki. Miąższ pokroić na cząstki, przełożyć do kulek melona. Maliny przebrać, przełożyć do miski. Kiwi obrać, pokroić w plasterki.

Nektarynki umyć, pestki usunąć. Miąższ pokroić na cząstki.
3. Wszystkie owoce wymieszać, przełożyć do wydrążonych połówek melonów.
4. Jogurt wymieszać na gładko, polać sałatkę. Przed podaniem posypać drobno posiekanymi listkami mięty.

Białko	Tłuszcz	Węglowodany	Kcal/kJ
4 g	1 g	26 g	136/573

Sałatka owocowa z sosem waniliowym

Składniki
250 g ciemnych
 winogron
1 gruszka
2 czerwone jabłka
1 banan
1 pomarańcza
1 puszka pokrojonych
 w kostkę ananasów
 (250 ml)
sok z 1/2 cytryny
1 łyżka likieru amaretto
250 g jogurtu
 waniliowego
1/8 litra mleka
1 łyżka krokantu

Przyrządzanie:
1. Winogrona pokroić wzdłuż na połówki, usunąć z nich pestki. Jabłka i gruszkę podzielić na połówki, wydrążyć, pokroić w kostkę.
2. Banan i pomarańczę obrać. Banan pokroić w plasterki, pomarańczę w kostkę.
3. Ananas osączyć. Owoce przełożyć do miski. Sok cytrynowy połączyć z likierem amaretto, polać owoce, przemieszać.
4. Przygotować sos: jogurt wymieszać z mlekiem. Dodać do sałatki. Udekorować krokantem.

Białko	Tłuszcz	Węglowodany	Kcal/kJ
5 g	5 g	47 g	266/1117

Owoce z sosem malinowym

Przyrządzanie:
1. Truskawki i porzeczki umyć, posypać cukrem pudrem, wymieszać. Wiśnie oczyścić z pestek. Brzoskwinię pokroić na cząstki, pestkę usunąć. Miąższ skropić odrobiną soku z cytryny, wymieszać z porzeczkami, truskawkami i wiśniami.
2. Maliny zmiksować z pozostałym sokiem cytrynowym, cukrem waniliowym i likierem. Sosem malinowym polać sałatkę.

Białko	Tłuszcz	Węglowodany	Kcal/kJ
3 g	1 g	31 g	168/693

Składniki
200 g truskawek
100 g czerwonych
 porzeczek
cukier puder
200 g wiśni
1 brzoskwinia
sok z 1 cytryny
100 g malin
1 torebka cukru
 waniliowego
1 cl likieru
 pomarańczowego

Składniki
2 banany
2 kiwi
1 mango
1 papaja
2 pomarańcze
100 g liczi
200 g truskawek
100 g miechunki
2 łyżki orzeszków
pistacjowych

Sałatka dalekowschodnia

Przyrządzanie:
1. Owoce obrać. Banany i kiwi pokroić w plasterki. Mango – na cząstki, papaję na kawałki. Pomarańcze podzielić na cząstki. Usunąć pestki z liczi. Większe truskawki podzielić na plasterki.

2. Owoce przełożyć na cztery talerze i posypać posiekanymi orzeszkami pistacjowymi i udekorować owocami miechunki.

Białko	Tłuszcz	Węglowodany	Kcal/kJ
4 g	4 g	42 g	233/975

Składniki
2 melony
2 gruszki
1 jabłko
2 mandarynki
100 g malin
2 łyżki cukru
40 ml likieru
pomarańczowego
ewentualnie trochę
bitej śmietany
do dekoracji

Melony nadziewane

Przyrządzanie:
1. Melony przekroić i wydrążyć.
2. Gruszki i jabłko obrać, usunąć środki z pestkami.
3. Mandarynki obrać, podzielić na cząstki. Maliny przebrać. Miąższ melona pokroić w kostkę.

4. Owoce posypać cukrem. Skropić likierem pomarańczowym. Sałatkę przełożyć do wydrążonych połówek melona, włożyć na 30 minut do lodówki.
5. Sałatkę udekorować bitą śmietaną, podawać.

Białko	Tłuszcz	Węglowodany	Kcal/kJ
3 g	8 g	34 g	248/1039

Sałatka owocowa z kasztanami

(składniki na 6 porcji)

Przyrządzanie:

1. Piekarnik nagrzać do temp. 250°C. Kasztany ponacinać na krzyż, ułożyć na blasze, wsunąć do piekarnika, piec, aż twarda skórka popęka. Gorącą skórkę usunąć.

2. Kasztany przełożyć do rondla. Dodać mleko i 50 g cukru, gotować 30 minut na małym ogniu. Zmiksować na gładko, przetrzeć przez sitko. Dodać likier brzoskwiniowy, wymieszać.

3. Płatki żelatyny namoczyć w wodzie.

4. Białka ubić na sztywno, wsypując cukier puder. Pianę połączyć ze zmiksowanymi kasztanami.

5. Żelatynę wycisnąć, ostrożnie przełożyć do kasztanów, wymieszać.

6. Śmietanę ubić na sztywno, również przełożyć do kasztanów, wymieszać, wstawić na 2 godziny do lodówki.

7. Owoce umyć, oczyścić, podzielić na cząstki. Winogrona pokroić na połówki, ponacinać na krzyż. Posypać 2 łyżkami cukru, dodać sok cytrynowy i winogronowy.

8. Sałatkę przełożyć na talerzyki deserowe. Za pomocą dwóch łyżeczek z masy kasztanowej uformować kluseczki, przełożyć do sałatki.

Białko	Tłuszcz	Węglowodany	Kcal/kJ
8 g	19 g	96 g	611/2560

Składniki

300 g świeżych kasztanów jadalnych
1/2 litra mleka
80 g cukru
40 ml likieru brzoskwiniowego
8 płatków białej żelatyny
3 białka
150 g cukru pudru
300 g śmietany
2 gruszki
2 jabłka
200 g śliwek
po 200 g białych i ciemnych winogron
1/8 litra soku z jasnych winogron
1 łyżka soku z cytryny

RADA

Kasztany jadalne pochodzą z Azji Mniejszej. Obecnie rosną dziko w ciepłych rejonach Europy. Mają wyraźny smak i śmietankową konsystencję, szczególnie gdy je opieczemy. Miąższ kasztanów zawiera przede wszystkim: skrobię, białko oraz tłusty olej kasztanowy.

Składniki

1 czerwony grejpfrut
2 czerwone pomarańcze
3 pomarańcze
50 ml likieru maraschino
  lub pomarańczowego
1 torebka sosu
  waniliowego (16 g)
1/4 litra mleka
2 łyżki cukru
rdzeń z 1/2 laski wanilii
200 g twarogu
ewentualnie melisa
  cytrynowa
posiekane orzeszki
  pistacjowe do dekoracji

Sałatka z czerwonym grejpfrutem

Przyrządzanie:

1. Owoce cytrusowe obrać, podzielić na cząstki, skropić likierem, odstawić na kilka minut w chłodne miejsce.
2. Z sosu waniliowego w proszku, mleka, cukru i rdzenia wanilii przygotować gęsty sos według przepisu na opakowaniu.

3. Sos wymieszać z twarogiem.
4. Owoce przełożyć na cztery talerzyki deserowe. Polać sosem.
5. Udekorować melisą cytrynową i posiekanymi orzeszkami pistacjowymi.

Białko	Tłuszcz	Węglowodany	Kcal/kJ
5 g	9 g	29 g	252/1049

SAŁATKI OWOCOWE

Składniki

1 mały melon
200 g małych truskawek
200 g wiśni
2 kiwi
70 g masła
50 g brązowego cukru
2 łyżki soku
  pomarańczowego
2 łyżki soku cytrynowego
100 ml likieru
  pomarańczowego

Sezon na wiśnie i czereśnie przypada na przełom czerwca i lipca. Owoce te są bogate w fosfor, żelazo, witaminy B i C. Czereśnie najczęściej spożywamy na surowo, wiśnie raczej w przetworach.

Płonąca sałatka owocowa

Przyrządzanie:

1. Melon podzielić na pół, usunąć pestki. Miąższ pokroić w kulki specjalnym wycinakiem. Truskawki i wiśnie umyć. Truskawki oczyścić, wiśnie wydrylować. Kiwi obrać, pokroić w plasterki.
2. 40 g masła rozgrzać na patelni. Dodać owoce, wymieszać. Zabezpieczyć przed wystygnięciem.
3. Pozostałe masło stopić, wsypać cukier, rozpuścić, nie przerywając mieszania.
4. Dodać sok z cytryny i pomarańczy. Całość krótko zagotować na dużym ogniu. Owoce z sokiem przełożyć do szalek.

5. Likier pomarańczowy przełożyć do łyżki wazowej, podgrzać nad małym płomieniem, podpalić, natychmiast przełożyć na sałatkę.

Białko	Tłuszcz	Węglowodany	Kcal/kJ
2 g	15 g	45 g	373/1568

Spis potraw

SPIS POTRAW

Skróty

kg	–	kilogram
g	–	gram
mg	–	miligram
ml	–	mililitr
cl	–	centylitr
kcal	–	kilokaloria
kJ	–	kilodżul

Podane w przepisach ilości składników przewidują porcję dla czterech osób, chyba że wyraźnie podano inaczej. Wartości odżywcze i energetyczne, w każdym wypadku, po- liczone zostały dla jednej osoby.